중학 수학 수준별 학습서
개념 플러스 유형

탑   난이도 **중~최상**
다양한 고난도 문제로
내신 최고 수준 달성!

파워   난이도 **중하~중상**
자세한 개념 설명은 기본,
핵심 유형 문제로 실력 향상!

라이트   난이도 **하~중**
자세한 개념 설명과 반복적인
연습 문제로 기초를 탄탄하게!

상상 그 이상

모두의 새롭고 유익한 즐거움이
비상의 즐거움이기에

아무도 해보지 못한 콘텐츠를 만들어
학교에 새로운 활기를 불어넣고

전에 없던 플랫폼을 창조하여
배움이 더 즐거워지는 자기주도학습 환경을
실현해왔습니다

이제, 비상은
더 많은 이들의 행복한 경험과
성장에 기여하기 위해

글로벌 교육 문화 환경의
상상 그 이상을 실현해 나갑니다

상상을 실현하는 교육 문화 기업 비상

강의 30회 자유 수강권

교재 속 원하는 부분만 콕 찍어 골라 듣자!

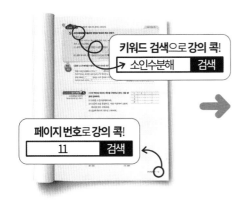

키워드 검색으로 강의 콕!

| 소인수분해 | 검색 |

페이지 번호로 강의 콕!

| 11 | 검색 |

수박씨닷컴에서
비상교재 강의 무료 수강!

┃ 비상교재 구매자 전용 혜택 ┃

혜택 ❶
콕 강의 30회
자유 수강권

※ 콕 강의 자유 수강권은
ID당 1회만 사용길 수 있습니다.

| 콕 강의 30회
무료 수강 쿠폰번호 | |

※ 박스 안을 연필 또는 샤프펜슬로 칠하면 번호가 보입니다.

이용 방법

| 수박씨닷컴 접속
www.soobakc.com | 메인 중앙
'비상교재 혜택존' 클릭 | 쿠폰 번호 입력 | 강의 수강 및
당첨 경품 확인! |

혜택 ❷
수강권만 등록해도
100% 선물 당첨

※ 당첨 경품은 매월 변경됩니다.

족보닷컴
기출문제
다운로드권

수행평가
자료
다운로드권

문의 1544-7380 | www.soobakc.com

수박씨닷컴은 최고 실력의 강사진이 대한민국 1위 교과서*와 1위 교재**로 강의하며, 1:1 담임제 학습관리로 최상의 교육 서비스를 제공합니다.
*2015~2019 대한민국 교육기업 대상 <초중등 교과서> 부문 **2014~2016 국가브랜드 대상 <중고등 교재> 부문

개념＋유형

PLUS

최고수준

TOP 탑

중등 수학

3·2

STRUCTURE

Step1

개념+대표 문제 확인하기

단원별로 꼭 알아야 할 핵심 개념과 출제율이 가장 높은 대표 문제로 내신 기본기를 다질 수 있다.

Step2

내신 5% 따라잡기

까다로운 기출문제와 적중률이 높은 예상 문제로 내신 만점을 달성할 수 있다.
다양한 창의 사고력 문제들로 문제 해결력을 높일 수 있다.

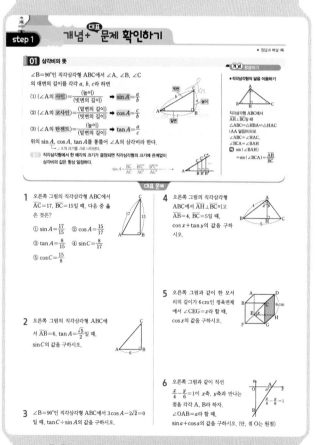

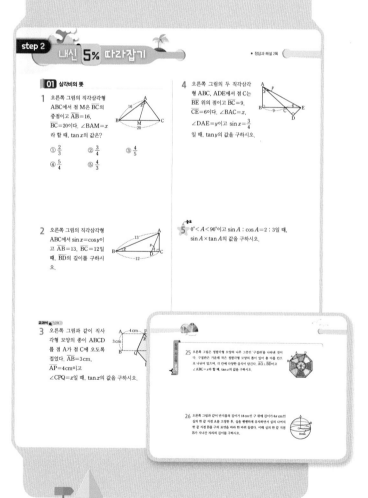

개념 활용하기 핵심 개념과 연계되는 활용 문제 해결 전략

Step3

내신 1% 뛰어넘기

경시대회와 고난도 기출문제의 변형 및 예상 문제로 내신
만점 이상의 실력을 쌓을 수 있다.

서술형

서술형 완성하기

1~2개의 단원마다 다양한 유형의 서술형 문제와 고난도 서술형
문제를 연습할 수 있다.

---

01 오른쪽 그림과 같이 좌표평면 위의 세 점 A(0, 3), B(−1, 1),
C(3, −1)을 꼭짓점으로 하는 △ABC에서 ∠ACB=a라 할 때,
$\sin a$의 값을 구하시오.

02 오른쪽 그림의 직각삼각형 ABC에서 $\overline{BD}=\overline{DC}=\overline{AC}$이고
∠BAD=x일 때, $\cos x$의 값을 구하시오.

03 $\sin A=\dfrac{3}{5}$일 때, 직선 $x\sin A+y\cos A=\tan(90°-A)$와 x축, y축으로 둘러싸인 부분의
넓이를 구하시오. (단, $0°<A<90°$)

04 (Top)
오른쪽 그림과 같이 ∠A=90°인 직각삼각형 ABC에서
∠PBC=30°가 되도록 $\overline{AC}$ 위에 점 P를 잡은 후, 점 P를 지나고
$\overline{BP}$와 수직인 직선이 $\overline{BC}$와 만나는 점을 Q라 하자. $\overline{AP}=\overline{QC}$,
$\overline{BP}=6$일 때, $\overline{PC}$의 길이를 구하시오.

---

1 오른쪽 그림과 같이 한 모서리
의 길이가 2인 정사면체에서
$\overline{BC}$, $\overline{AD}$의 중점을 각각 M,
N이라 하자. ∠AMN=x,
∠ADM=y라 할 때,
$\sin x \times \tan y$의 값을 구하시오.

풀이 과정

답

3 오른쪽 그림과 같이 부채꼴
AOB 안에 직사각형
CDEF를 그렸다.
$\overline{OC}=2$ cm이고
∠AOF=15°,
∠FOB=30°일 때, □CDEF의 넓이를 구하시오.

풀이 과정

답

2 오른쪽 그림과 같이 한사분의 실
이가 8인 사분원에서 $\cos a=\dfrac{3}{4}$
일 때, △CAE의 넓이를 구하
시오.

풀이 과정

답

4 오른쪽 그림과 같이 지
면 위에 일직선으로 있
는 세 지점 B, C, D에
서 산의 정상 A 지점을
올려다본 각의 크기가 각각 60°, 45°, 30°이었다.
$\overline{CD}=100$ m일 때, 두 지점 A, B 사이의 거리를 구하
시오.

풀이 과정

답

이 책의 차례

CONTENTS

1 삼각비

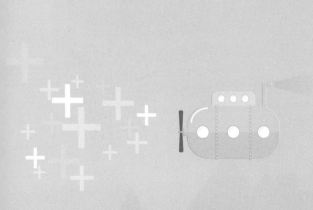

● 정답과 해설 1쪽

01 삼각비의 뜻

$\angle B=90°$인 직각삼각형 ABC에서 $\angle A$, $\angle B$, $\angle C$의 대변의 길이를 각각 a, b, c라 하면

(1) ($\angle A$의 사인)$=\dfrac{(높이)}{(빗변의 길이)}$ ➡ $\sin A=\dfrac{a}{b}$

(2) ($\angle A$의 코사인)$=\dfrac{(밑변의 길이)}{(빗변의 길이)}$ ➡ $\cos A=\dfrac{c}{b}$

(3) ($\angle A$의 탄젠트)$=\dfrac{(높이)}{(밑변의 길이)}$ ➡ $\tan A=\dfrac{a}{c}$

위의 $\sin A$, $\cos A$, $\tan A$를 통틀어 $\angle A$의 삼각비라 한다.
$\rightarrow$ $\angle A$의 크기를 A로 나타낸다.

참고 직각삼각형에서 한 예각의 크기가 결정되면 직각삼각형의 크기에 관계없이 삼각비의 값은 항상 일정하다.

$$\sin A=\frac{\overline{BC}}{\overline{AC}}=\frac{\overline{B'C'}}{\overline{AC'}}=\frac{\overline{B''C''}}{\overline{AC''}}=\cdots \rightarrow$$

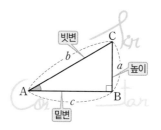

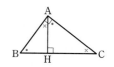

■ 직각삼각형의 닮음 이용하기

직각삼각형 ABC에서
$\overline{AH}\perp\overline{BC}$일 때
$\triangle ABC \backsim \triangle HBA \backsim \triangle HAC$
(AA 닮음)이므로
$\angle ABC=\angle HAC$,
$\angle BCA=\angle BAH$
예 $\sin(\angle BAH)$
$=\sin(\angle BCA)=\dfrac{\overline{AB}}{\overline{BC}}$

대표 문제

1 오른쪽 그림의 직각삼각형 ABC에서 $\overline{AC}=17$, $\overline{BC}=15$일 때, 다음 중 옳은 것은?

① $\sin A=\dfrac{17}{15}$ ② $\cos A=\dfrac{15}{17}$

③ $\tan A=\dfrac{8}{15}$ ④ $\sin C=\dfrac{8}{17}$

⑤ $\cos C=\dfrac{15}{8}$

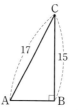

2 오른쪽 그림의 직각삼각형 ABC에서 $\overline{AB}=6$, $\tan A=\dfrac{\sqrt5}{2}$일 때, $\sin C$의 값을 구하시오.

3 $\angle B=90°$인 직각삼각형 ABC에서 $3\cos A-2\sqrt2=0$일 때, $\tan C \div \sin A$의 값을 구하시오.

4 오른쪽 그림의 직각삼각형 ABC에서 $\overline{AH}\perp\overline{BC}$이고 $\overline{AB}=4$, $\overline{BC}=5$일 때, $\cos x+\tan y$의 값을 구하시오.

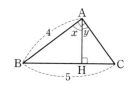

5 오른쪽 그림과 같이 한 모서리의 길이가 6 cm인 정육면체에서 $\angle CEG=x$라 할 때, $\cos x$의 값을 구하시오.

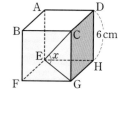

6 오른쪽 그림과 같이 직선 $\dfrac{x}{4}-\dfrac{y}{6}=1$이 x축, y축과 만나는 점을 각각 A, B라 하자. $\angle OAB=a$라 할 때, $\sin a+\cos a$의 값을 구하시오. (단, 점 O는 원점)

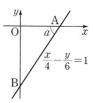

다음 그림의 두 직각삼각형을 이용하여 30°, 45°, 60°의 삼각비의 값을 구할 수 있다.

← 직각을 낀 두 변의 길이가 각각 1인 직각이등변삼각형

← 한 변의 길이가 2인 정삼각형을 반으로 접은 직각삼각형

➡

삼각비 $\diagdown$ A	30°	45°	60°
$\sin A$	$\dfrac{1}{2}$	$\dfrac{\sqrt{2}}{2}$	$\dfrac{\sqrt{3}}{2}$
$\cos A$	$\dfrac{\sqrt{3}}{2}$	$\dfrac{\sqrt{2}}{2}$	$\dfrac{1}{2}$
$\tan A$	$\dfrac{\sqrt{3}}{3}$	1	$\sqrt{3}$

개념 활용하기

■ 직선의 기울기와 삼각비

직선 $y=mx+n\,(m>0)$이 x축과 이루는 예각의 크기를 a라 하면

(직선의 기울기)$=m$
$=\dfrac{\overline{BO}}{\overline{AO}}$
$=\tan a$

참고 각의 크기가 커질수록 ➡ sin 값은 증가, cos 값은 감소, tan 값은 증가

대표 문제

7 다음을 계산하시오.

$$\sqrt{3}\tan 30° - (\sin 30° + \cos 45°)(\sin 45° - \cos 60°)$$

8 이차방정식 $4x^2 - 4x + 1 = 0$의 한 근을 $\cos A$라 할 때, A의 크기를 구하시오. (단, $0° < A < 90°$)

9 $\tan(2x - 15°) = 1$일 때, $\sin x \times \cos x$의 값을 구하시오. (단, $7.5° < x < 52.5°$)

10 오른쪽 그림의 $\triangle ABC$에서 $\overline{AH} \perp \overline{BC}$이고 $\overline{AB} = 12$, $\angle B = 60°$, $\angle C = 45°$일 때, $\overline{AC}$의 길이를 구하시오.

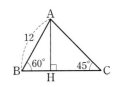

11 오른쪽 그림의 직각삼각형 ABC에서 $\overline{AD} = \overline{BD}$, $\overline{AC} = 6$이고 $\angle ADC = 30°$일 때, 다음 삼각비의 값을 구하시오.

(1) $\tan 15°$　　　(2) $\tan 75°$

12 오른쪽 그림과 같이 x절편이 -3이고 x축과 이루는 예각의 크기가 60°인 직선의 방정식을 구하시오.

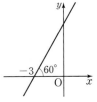

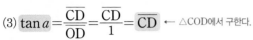

03 예각에 대한 삼각비의 값

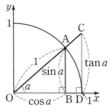

1 **예각에 대한 삼각비의 값**

반지름의 길이가 1인 사분원에서 한 예각 a에 대하여

(1) $\sin a = \dfrac{\overline{AB}}{\overline{OA}} = \dfrac{\overline{AB}}{1} = \overline{AB}$ ← △AOB에서 구한다.

(2) $\cos a = \dfrac{\overline{OB}}{\overline{OA}} = \dfrac{\overline{OB}}{1} = \overline{OB}$ ←

(3) $\tan a = \dfrac{\overline{CD}}{\overline{OD}} = \dfrac{\overline{CD}}{1} = \overline{CD}$ ← △COD에서 구한다.

2 **0°, 90°의 삼각비의 값**

(1) $\sin 0° = 0$, $\cos 0° = 1$, $\tan 0° = 0$

(2) $\sin 90° = 1$, $\cos 90° = 0$, $\tan 90°$의 값은 정할 수 없다.

3 **삼각비의 표** ← 0°에서 90°까지의 각에 대한 삼각비의 값이 실려 있다.

삼각비의 표에서 각도의 가로줄과 삼각비의 세로줄이 만나는 칸에 있는 수가 삼각비의 값이다.

각도	사인(sin)	코사인(cos)	탄젠트(tan)
⋮			
15° →	0.2588	0.9659	0.2679

$\underset{\sin 15°의 값}{}$ $\underset{\cos 15°의 값}{}$ $\underset{\tan 15°의 값}{}$

참고 삼각비의 표에 있는 값은 대부분 반올림하여 소수점 아래 넷째 자리까지 나타낸 값이지만 등호 =를 사용하여 나타내기도 한다. 예 $\sin 15° = 0.258819\cdots$ ➡ $\sin 15° = 0.2588$

개념 **활용하기**

▪ **삼각비의 값의 대소 관계**

각의 크기가 0°에서 90°로 증가하면
• sin 값은 0에서 1로 증가
• cos 값은 1에서 0으로 감소
• tan 값은 0에서 한없이 증가

➡ (1) $0° \le x < 45°$이면
  $\sin x < \cos x$

(2) $x = 45°$이면
  $\sin x = \cos x < \tan x$

(3) $45° < x < 90°$이면
  $\cos x < \sin x < \tan x$

대표 문제

13 오른쪽 그림과 같이 반지름의 길이가 1인 사분원에서 다음 중 옳지 <u>않은</u> 것은?

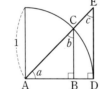

① $\sin a = \overline{BC}$

② $\cos a = \overline{AB}$

③ $\cos b = \overline{BC}$

④ $\tan c = \dfrac{1}{\overline{DE}}$

⑤ $\sin c = \overline{AD}$

14 오른쪽 그림과 같이 반지름의 길이가 1인 사분원에서 $\tan 39° + \sin 51°$의 값을 구하시오.

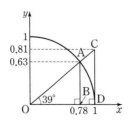

15 $\sin 90° \times \cos 30° - \tan 0° \times \sin 45° + \dfrac{\cos 0°}{\tan 30°}$ 를 계산하시오.

16 다음 삼각비의 값을 작은 것부터 차례로 나열하시오.

$$\cos 0°, \quad \cos 55°, \quad \sin 45°, \quad \tan 65°, \quad \sin 75°$$

17 오른쪽 그림의 직각삼각형 ABC에서 $\overline{AC} = 10$, $\angle A = 53°$일 때, 다음 삼각비의 표를 이용하여 $\overline{BC}$의 길이를 구하시오.

각도	사인(sin)	코사인(cos)	탄젠트(tan)
35°	0.5736	0.8192	0.7002
36°	0.5878	0.8090	0.7265
37°	0.6018	0.7986	0.7536

01 삼각비의 뜻

1 오른쪽 그림의 직각삼각형 ABC에서 점 M은 $\overline{BC}$의 중점이고 $\overline{AB}=16$, $\overline{BC}=20$이다. $\angle BAM=x$ 라 할 때, $\tan x$의 값은?

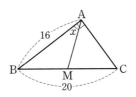

① $\dfrac{2}{3}$ ② $\dfrac{3}{4}$ ③ $\dfrac{4}{5}$

④ $\dfrac{5}{4}$ ⑤ $\dfrac{4}{3}$

2 오른쪽 그림의 직각삼각형 ABC에서 $\sin x=\cos y$이 고 $\overline{AB}=13$, $\overline{BC}=12$일 때, $\overline{BD}$의 길이를 구하시 오.

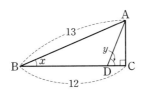

교과서 속 심화

3 오른쪽 그림과 같이 직사 각형 모양의 종이 ABCD 를 점 A가 점 C에 오도록 접었다. $\overline{AB}=3\,\text{cm}$, $\overline{AP}=4\,\text{cm}$이고 $\angle CPQ=x$일 때, $\tan x$의 값을 구하시오.

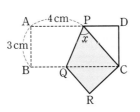

4 오른쪽 그림의 두 직각삼각 형 ABC, ADE에서 점 C는 $\overline{BE}$ 위의 점이고 $\overline{BC}=9$, $\overline{CE}=6$이다. $\angle BAC=x$, $\angle DAE=y$이고 $\sin x=\dfrac{3}{4}$ 일 때, $\tan y$의 값을 구하시오.

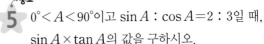

중요

5 $0°<A<90°$이고 $\sin A : \cos A=2 : 3$일 때, $\sin A \times \tan A$의 값을 구하시오.

6 이차방정식 $3x^2-7x+2=0$의 두 근이 $\tan\alpha$, $\tan\beta$ 일 때, $\dfrac{\sin\alpha}{\cos\beta}$의 값을 구하시오. (단, $0°<\alpha<\beta<90°$)

7 오른쪽 그림의 직각삼각형 ABC에서 $\overline{BC} \perp \overline{DE}$, $\overline{AC} \perp \overline{EF}$일 때, 다음 중 그 값이 나머지 넷과 다른 하나는?

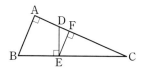

① $\dfrac{\overline{AB}}{\overline{AC}}$ ② $\dfrac{\overline{EF}}{\overline{CF}}$ ③ $\dfrac{\overline{DE}}{\overline{CE}}$

④ $\dfrac{\overline{EF}}{\overline{DE}}$ ⑤ $\dfrac{\overline{DF}}{\overline{EF}}$

중요
8 오른쪽 그림의 직각삼각형 ABC에서 $\overline{DE} \perp \overline{BC}$, $\overline{FG} \perp \overline{BC}$이고 $\overline{AB}=4$, $\overline{AC}=8$이다.

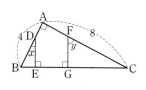

$\angle BDE=x$, $\angle CFG=y$라 할 때, $\cos x + \cos y$의 값을 구하시오.

9 오른쪽 그림과 같이 한 모서리의 길이가 6인 정사면체의 꼭짓점 A에서 밑면에 내린 수선의 발 H는 △BCD의 무게중심이다. $\overline{DH}$의 연장선과 $\overline{BC}$의 교점을 M이라 하고 $\angle AMD=x$라 할 때, $\sin x$의 값을 구하시오.

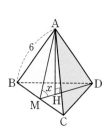

02 30°, 45°, 60°의 삼각비의 값

교과서 속 심화
10 세 내각의 크기의 비가 1 : 2 : 3인 삼각형에서 세 내각 중 두 번째로 큰 각의 크기를 A라 할 때, 다음을 계산하시오.

$$\left(\frac{1}{2}-\sin A\right)(1+\tan A)-\cos A$$

11 오른쪽 그림과 같이 한 변의 길이가 6인 정삼각형 ABC의 각 변 위의 네 점 D, E, F, G를 꼭짓점으로 하는 정사각형 DEFG가 있다. 이때 □DEFG의 한 변의 길이를 구하시오.

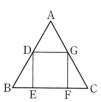

중요
12 오른쪽 그림과 같이 반지름의 길이가 12인 사분원에서 $\overparen{AP}=\overparen{PQ}=\overparen{QB}$일 때, 색칠한 부분의 넓이를 구하시오.

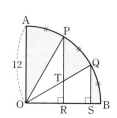

교과서 속 심화

13 오른쪽 그림과 같이 직사각형 ABCD의 내부에 직각삼각형 APQ가 접하고 있다. $\overline{AP}=2$이고 $\angle APQ=60°$, $\angle DAQ=45°$일 때, $\tan 75°$의 값은?

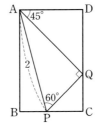

① $2-\sqrt{3}$ ② $\sqrt{6}-\sqrt{2}$
③ $2+\sqrt{3}$ ④ $\sqrt{6}+\sqrt{2}$
⑤ $4+\sqrt{3}$

14 오른쪽 그림에서 □ABCD는 직사각형이다. $\overline{BC}=\overline{BE}$, $\overline{CF}=2$이고 $\angle ECF=90°$, $\angle CEF=30°$일 때, $\overline{AE}$의 길이를 구하시오.

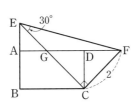

15 오른쪽 그림과 같이 한 변의 길이가 2인 정삼각형 ABC에서 $\overline{BC}$의 연장선 위에 점 E를 잡고, $\overline{AE}$ 위에 $\overline{AC}=\overline{CD}$, $\angle ACD=90°$가 되도록 점 D를 잡았다. 이때 $\overline{DE}$의 길이를 구하시오.

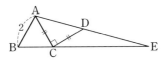

16 오른쪽 그림과 같이 직사각형 모양의 종이 ABCD를 $\overline{BD}$를 접는 선으로 하여 $\angle EFD=45°$가 되도록 접었을 때, $\tan 67.5°$의 값을 구하시오.

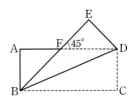

중요
17 오른쪽 그림과 같이 $\overline{OA}=3\sqrt{3}$, $\overline{AB}=3$인 직각삼각형 A₁에서 그 빗변을 한 변으로 하는 닮은 직각삼각형 A₂를 그린 후, 같은 방법으로 직각삼각형 A₃, A₄, …, A₇을 차례로 그렸을 때, 직각삼각형 A₇의 빗변의 길이를 구하시오.

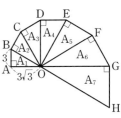

18 오른쪽 그림과 같이 직선 l과 x축, y축의 교점이 각각 A, B이고 $\overline{AB}\perp\overline{OH}$, $\overline{OH}=6$이다. 직각삼각형 AOB에서 $\tan A=\dfrac{2}{3}$일 때, 직선 l의 방정식을 구하시오. (단, 점 O는 원점)

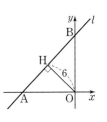

19 오른쪽 그림과 같이 한 점에서 만나는 두 직선 $y=x+1$ 과 $y=\sqrt{3}x-1$이 이루는 예각의 크기를 a라 할 때, a의 크기를 구하시오.

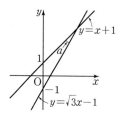

22 다음 보기의 삼각비의 값을 작은 것부터 차례로 나열하시오.

┤ 보기 ├

ㄱ. $\sin 10°$ ㄴ. $\cos 0°$ ㄷ. $\cos 50°$

ㄹ. $\cos 70°$ ㅁ. $\tan 50°$ ㅂ. $\sin 65°$

03 예각에 대한 삼각비의 값

중요

20 오른쪽 그림과 같이 반지름의 길이가 1인 사분원에서 색칠한 부분의 넓이를 구하시오.

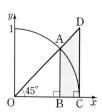

중요

23 $0° < A < 45°$이고

$$\sqrt{(\sin A+\cos A)^2}-\sqrt{(\sin A-\cos A)^2}=\frac{14}{25}$$일 때, $\cos A$의 값을 구하시오.

교과서 속 심화

21 오른쪽 그림과 같이 반지름의 길이가 1인 사분원에 대하여 다음 식의 값을 구하시오.

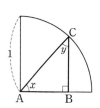

$$\frac{\sin y}{\sin x}\times\frac{\cos y}{\cos x}-\tan x\times\tan y$$

24 오른쪽 그림과 같이 반지름의 길이가 1인 사분원에서 $0° < a < 45°$ 일 때, 다음 중 주어진 식의 값과 길이가 같은 선분은?

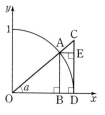

$$\sqrt{(\sin a-\cos a)^2}+\sqrt{(\tan 45°-\cos a)^2}$$
$$-\sqrt{(\tan a-\cos 0°)^2}$$

① $\overline{OB}$ ② $\overline{AB}$ ③ $\overline{CD}$

④ $\overline{AE}$ ⑤ $\overline{CE}$

25 오른쪽 그림은 정팔각형 모양의 나무 그릇인 '구절판'을 나타낸 것이다. 구절판은 가운데 작은 정팔각형 모양의 틀이 있어 총 아홉 칸으로 나뉘어 있으며, 각 칸에 다양한 음식이 담긴다. $\overline{AO} \perp \overline{BD}$이고 $\angle ABC = x$라 할 때, $\tan x$의 값을 구하시오.

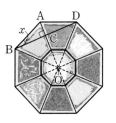

26 오른쪽 그림과 같이 반지름의 길이가 18 cm인 구 위에 길이가 6π cm인 실의 한 끝 지점 A를 고정한 후, 실을 팽팽하게 유지하면서 실의 나머지 한 끝 지점 B를 구의 표면을 따라 한 바퀴 돌렸다. 이때 실의 한 끝 지점 B가 지나간 자리의 길이를 구하시오.

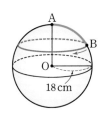

27 크기가 같은 정사각형 모양의 빨간색과 파란색의 투명 아크릴판을 한 변이 겹치게 놓은 후 오른쪽 그림과 같이 빨간색 아크릴판을 꼭짓점 A를 중심으로 시계 반대 방향으로 회전시키면 두 아크릴판이 겹쳐진 부분은 자홍색이 된다. 이때 빨간색, 자홍색, 파란색 부분의 넓이가 모두 같아지는 것은 빨간색 아크릴판을 시계 반대 방향으로 몇 °만큼 회전시켰을 때인지 다음 삼각비의 표를 이용하여 구하시오.

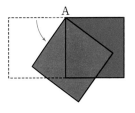

각도	사인(sin)	코사인(cos)	탄젠트(tan)
27°	0.45	0.89	0.50
28°	0.46	0.88	0.53
29°	0.48	0.87	0.55

01 오른쪽 그림과 같이 좌표평면 위의 세 점 $A(0, 3)$, $B(-1, 1)$, $C(3, -1)$을 꼭짓점으로 하는 $\triangle ABC$에서 $\angle ACB = a$라 할 때, $\sin a$의 값을 구하시오.

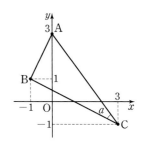

02 오른쪽 그림의 직각삼각형 ABC에서 $\overline{BD} = \overline{DC} = \overline{AC}$이고 $\angle BAD = x$일 때, $\cos x$의 값을 구하시오.

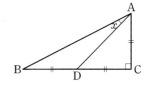

03 $\sin A = \dfrac{3}{5}$일 때, 직선 $x \sin A + y \cos A = \tan(90° - A)$와 x축, y축으로 둘러싸인 부분의 넓이를 구하시오. (단, $0° < A < 90°$)

04 오른쪽 그림과 같이 $\angle A = 90°$인 직각삼각형 ABC에서 $\angle PBC = 30°$가 되도록 $\overline{AC}$ 위에 점 P를 잡은 후, 점 P를 지나고 $\overline{BP}$와 수직인 직선이 $\overline{BC}$와 만나는 점을 Q라 하자. $\overline{AP} = \overline{QC}$, $\overline{BP} = 6$일 때, $\overline{PC}$의 길이를 구하시오.

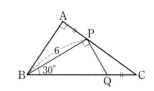

05 오른쪽 그림과 같이 반지름의 길이가 1인 사분원에서 $\angle$B의 이등분선과 $\overline{OA}$의 교점을 C라 하고 $\angle AOB = x$라 할 때, $\overline{OC}$의 길이를 $\sin x$를 사용하여 나타내시오.

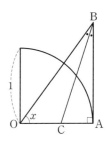

06 오른쪽 그림에서 $\overleftrightarrow{AC}$는 반지름의 길이가 1인 사분원의 접선이고 점 A는 그 접점이다. $\angle AOB = a$라 할 때, 다음 보기 중 옳지 <u>않은</u> 것을 모두 고르시오. (단, $0° < a < 90°$)

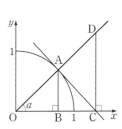

| 보기 |

ㄱ. $\overline{AB} = \sin a$ ㄴ. $\overline{AC} = \tan a$ ㄷ. $\overline{OC} = \dfrac{1}{\cos a}$

ㄹ. $\overline{CD} = \dfrac{\cos a}{\tan a}$ ㅁ. $\overline{BC} = 1 - \cos a$

TOP
07 오른쪽 그림과 같이 좌표평면 위의 점 $A(0, 1)$과 x축 위의 점 P_1, P_2, $\cdots$, P_{89}에 대하여
$\angle OAP_1 = \angle P_1AP_2 = \angle P_2AP_3 = \cdots = \angle P_{88}AP_{89} = 1°$
일 때, $\overline{OP_1} \times \overline{OP_2} \times \overline{OP_3} \times \cdots \times \overline{OP_{89}}$의 값을 구하시오.

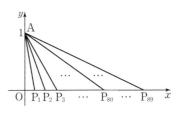

2 삼각비의 활용

01 길이 구하기

02 넓이 구하기

개념+ 문제 확인하기

● 정답과 해설 9쪽

01 길이 구하기

개 념 활용하기

1 **직각삼각형의 변의 길이**: $\angle B=90°$인 직각삼각형 ABC에서

(1) $\angle A$의 크기와 빗변의 길이 b를 알 때

➡ $a=b\sin A$,　$c=b\cos A$

(2) $\angle A$의 크기와 밑변의 길이 c를 알 때

➡ $a=c\tan A$,　$b=\dfrac{c}{\cos A}$

(3) $\angle A$의 크기와 높이 a를 알 때

➡ $b=\dfrac{a}{\sin A}$,　$c=\dfrac{a}{\tan A}$

■ **삼각형의 높이**

밑변 BC의 길이와 그 양 끝 각 $\angle B$, $\angle C$의 크기를 알 때, 높이 h는 다음을 이용하여 구한다.

(1) $\angle B$, $\angle C$가 모두 예각인 경우

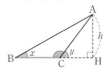

$\triangle ABH$에서 $\overline{BH}=\dfrac{h}{\tan x}$

$\triangle AHC$에서 $\overline{CH}=\dfrac{h}{\tan y}$

➡ $\overline{BC}=\overline{BH}+\overline{CH}$ 이용

2 **일반 삼각형의 변의 길이**

(1) 두 변의 길이 a, c와 그 끼인각 $\angle B$의 크기를 알 때

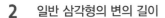

$\triangle ABH$에서
$\overline{AH}=c\sin B$, $\overline{BH}=c\cos B$이므로
$\triangle AHC$에서
$\overline{AC}=\sqrt{\overline{AH}^2+\overline{CH}^2}$
　　$=\sqrt{(c\sin B)^2+(a-c\cos B)^2}$

(2) 한 변의 길이 c와 그 양 끝 각 $\angle A$, $\angle B$의 크기를 알 때

$180°-(\angle A+\angle B)$

$\triangle ABH$에서
$\overline{AH}=c\sin B$이므로
$\triangle AHC$에서
$\overline{AC}=\dfrac{\overline{AH}}{\sin C}=\dfrac{c\sin B}{\sin C}$

(2) $\angle C$가 둔각인 경우

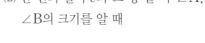

$\triangle ABH$에서 $\overline{BH}=\dfrac{h}{\tan x}$

$\triangle ACH$에서 $\overline{CH}=\dfrac{h}{\tan y}$

➡ $\overline{BC}=\overline{BH}-\overline{CH}$ 이용

대표 문제

1 오른쪽 그림의 직각삼각형 ABC에서 $\overline{AB}=7$, $\angle B=35°$일 때, x의 값을 나타내는 것을 모두 고르면? (정답 2개)

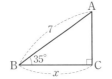

① $7\sin 35°$　　② $7\cos 35°$　　③ $7\sin 55°$

④ $\dfrac{7}{\sin 35°}$　　⑤ $\dfrac{7}{\tan 55°}$

2 오른쪽 그림과 같이 눈높이가 1.6 m인 빈우가 건물로부터 12 m 떨어진 지점에서 건물의 꼭대기를 올려다본 각의 크기가 37°일 때, 이 건물의 높이를 구하시오.

(단, $\tan 37°=0.75$로 계산한다.)

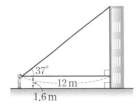

3 오른쪽 그림과 같이 호수 주변의 두 지점 A, B 사이의 거리를 구하기 위해 필요한 각의 크기와 거리를 측정하였더니 $\angle C=60°$, $\overline{AC}=60\,\mathrm{m}$, $\overline{BC}=50\,\mathrm{m}$이었다. 이때 두 지점 A, B 사이의 거리를 구하시오.

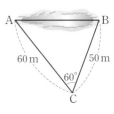

4 오른쪽 그림과 같이 120 m 떨어진 두 지점 B, C에서 열기구 A를 올려다본 각의 크기가 각각 60°, 45°일 때, 지면으로부터 열기구의 높이를 구하시오.

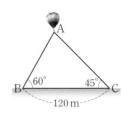

1 **삼각형의 넓이**: 두 변의 길이 a, c와 그 끼인각 $\angle B$의 크기를 알 때

(1) $\angle B$가 예각인 경우

$$\Rightarrow \triangle ABC = \frac{1}{2}ac\sin B$$

(2) $\angle B$가 둔각인 경우

$$\Rightarrow \triangle ABC = \frac{1}{2}ac\sin(180°-B)$$

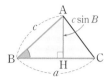  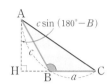

2 **평행사변형의 넓이**: 이웃하는 두 변의 길이 a, b와 그 끼인각 $\angle B$의 크기를 알 때

(1) $\angle B$가 예각인 경우

$$\Rightarrow \square ABCD = ab\sin B$$

(2) $\angle B$가 둔각인 경우

$$\Rightarrow \square ABCD = ab\sin(180°-B)$$

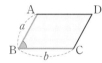 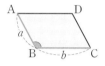

3 **사각형의 넓이**: 두 대각선의 길이 a, b와 두 대각선이 이루는 각 $\angle x$의 크기를 알 때

(1) $\angle x$가 예각인 경우

$$\Rightarrow \square ABCD = \frac{1}{2}ab\sin x$$

(2) $\angle x$가 둔각인 경우

$$\Rightarrow \square ABCD = \frac{1}{2}ab\sin(180°-x)$$

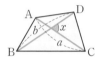 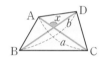

대표 문제

5 오른쪽 그림과 같이 $\overline{BC}=8$, $\angle B=45°$인 $\triangle ABC$의 넓이가 10일 때, $\overline{AB}$의 길이를 구하시오.

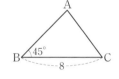

8 오른쪽 그림의 평행사변형 ABCD에서 점 M은 $\overline{AB}$의 중점이고 $\overline{BC}=8$ cm, $\overline{CD}=4\sqrt{3}$ cm, $\angle D=60°$ 일 때, $\triangle AMC$의 넓이를 구하시오.

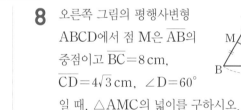

6 오른쪽 그림과 같이 $\overline{AB}=4$, $\overline{BC}=6$, $\overline{CD}=2\sqrt{3}$, $\overline{DA}=2$ 이고 $\angle B=60°$, $\angle D=150°$ 인 $\square ABCD$의 넓이를 구하시오.

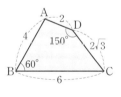

9 오른쪽 그림의 $\square ABCD$ 에서 두 대각선의 길이가 각각 12, 10이고 두 대각선 이 이루는 각의 크기가 135°일 때, $\square ABCD$의 넓이를 구하시오.

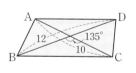

7 오른쪽 그림과 같이 반지름의 길이가 4인 원 O에 내접하는 정팔각형의 넓이를 구하시오.

01 길이 구하기

교과서 속 심화

1 오른쪽 그림과 같이 줄의 길이가 30 cm인 시계추가 좌우로 40°씩 움직였을 때, 지점 B는 가장 낮은 지점 A보다 몇 cm 높은지 삼각비를 이용하여 나타내면?

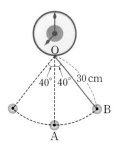

① $30 \sin 50°$ cm
② $30 \cos 50°$ cm
③ $30(1-\sin 40°)$ cm
④ $30(1-\cos 40°)$ cm
⑤ $30(1-\tan 40°)$ cm

2 오른쪽 그림과 같이 3.4 m 높이의 육교 위의 A 지점에서 불꽃이 터지는 것을 본 지 2초 후에 그 소리를 들었다. A 지점에서 불꽃이 터진 지점 B를 올려다본 각의 크기는 38°이고 소리의 속력은 초속 340 m라 할 때, 지면으로부터 B 지점까지의 높이 $\overline{BC}$를 구하시오. (단, $\sin 38°=0.62$로 계산한다.)

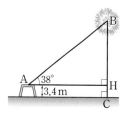

3 오른쪽 그림과 같이 지면 위의 A 지점에서 8 m 떨어진 단상 위에 있는 계양대의 꼭대기 C 지점을 올려다본 각의 크기가 60°이다. 높이가 $\overline{DH}$인 단상의 경사면의 길이는 $2\sqrt{3}$ m, 경사각은 30°일 때, 계양대의 높이 $\overline{CD}$를 구하시오.

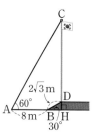

4 오른쪽 그림과 같이 $\overline{AD} \parallel \overline{BC}$인 사다리꼴 ABCD에서 $\overline{AD}=6$, $\overline{CD}=4\sqrt{6}$이고 $\angle B=60°$, $\angle C=45°$일 때, □ABCD의 넓이를 구하시오.

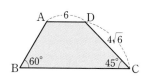

5 오른쪽 그림의 □ABCD에서 $\overline{AB}=2\sqrt{3}$ cm, $\overline{AD}=\sqrt{6}$ cm이고 $\angle A=75°$, $\angle B=60°$, $\angle C=90°$일 때, $\overline{CD}$의 길이를 구하시오.

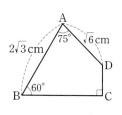

6 오른쪽 그림과 같이 $\overline{AB}=6$ cm, $\overline{BC}=10$ cm이고 $\angle A : \angle B=2 : 1$인 평행사변형 ABCD에서 네 내각의 이등분선에 의해 만들어지는 □PQRS의 넓이를 구하시오.

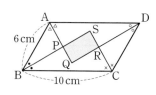

7 ^{중요} 오른쪽 그림과 같이 어느 지역의 두 지점 A, C 사이를 뚫어 터널을 만들려고 한다. 지점 A 에서 6 km 떨어진 지점 B를 잡고 각의 크기를 측정하였더니 ∠CAB=45°, ∠ABC=105°이었다. 이때 만들려는 터널의 길이를 구하시오.

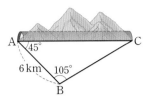

10 오른쪽 그림과 같이 ∠A=30°이고 $\overline{AB}=\overline{AC}$인 이등변삼각형 ABC에서 $\overline{BC}=\overline{BD}=5\sqrt{2}$일 때, $\overline{AB}$의 길이는?

① $5\sqrt{3}+1$
② $5\sqrt{3}+\sqrt{2}$
③ $5(\sqrt{3}+1)$
④ $5(\sqrt{3}+\sqrt{2})$
⑤ $5(\sqrt{2}+\sqrt{6})$

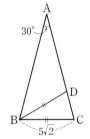

8 오른쪽 그림과 같이 두 자동차가 지점 O에서 동시에 출발하여 서로 다른 길을 각각 시속 84 km, 72 km로 달려서 20분 후 두 지점 P, Q에 각각 도착하였다. ∠POQ=60°일 때, 두 지점 P, Q 사이의 거리를 구하시오.

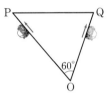

11 ^{중요} 오른쪽 그림은 산의 높이를 알아보기 위해 지면 위에 거리가 1 km인 두 지점 A, B를 잡은 것이다. ∠CAH=45°, ∠CBH=30°일 때, 이 산의 높이 $\overline{CH}$를 구하시오.

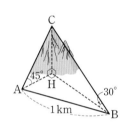

교과서 속 심화

9 오른쪽 그림의 평행사변형 ABCD에서 $\overline{AB}=4$, $\overline{BC}=6$이고, ∠ABC=60° 일 때, 대각선 BD의 길이를 구하시오.

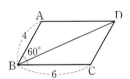

12 오른쪽 그림과 같이 겹쳐진 두 직각삼각형 ABC, DBC 에서 ∠BAC=60°, ∠DBC=45°이고 $\overline{DC}=4$ 일 때, △PBC의 넓이를 구하시오.

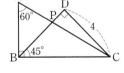

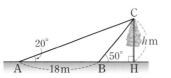

13 오른쪽 그림과 같이 18 m 떨어진 두 지점 A, B에서 나무의 꼭대기 지점 C를 올려다본 각의 크기가 각각 20°, 50°일 때, 다음 중 h의 값을 구하는 식으로 알맞은 것을 모두 고르면? (정답 2개)

① $h(\sin 50° - \sin 20°) = 18$

② $h(\cos 20° - \cos 50°) = 18$

③ $h(\tan 70° - \tan 40°) = 18$

④ $h\left(\dfrac{1}{\tan 40°} - \dfrac{1}{\sin 70°}\right) = 18$

⑤ $h\left(\dfrac{1}{\tan 20°} - \dfrac{1}{\tan 50°}\right) = 18$

02 넓이 구하기

14 오른쪽 그림과 같이 $\overline{AB} = 12$ cm, $\overline{BC} = 8\sqrt{3}$ cm, $\angle B = 60°$인 $\triangle ABC$가 있다. $\overline{AB}$, $\overline{BC}$의 중점을 각각 M, N이라 하고 $\overline{AN}$, $\overline{CM}$의 교점을 P라 할 때, $\triangle APC$의 넓이를 구하시오.

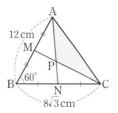

15 오른쪽 그림과 같이 $\overline{AB} = 7$ cm, $\overline{BC} = 12$ cm, $\angle B = 60°$인 $\square ABCD$가 있다. $\overline{AE} /\!/ \overline{DC}$일 때, $\square ABED$의 넓이를 구하시오.

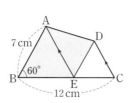

16 오른쪽 그림의 $\triangle ABC$에서 $\overline{AB} = 6$, $\overline{BC} = 4\sqrt{3}$ 이고 $\angle ABD = 30°$, $\angle DBC = 120°$일 때, $\overline{BD}$의 길이는?

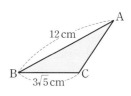

① $\sqrt{3}$ ② $\dfrac{9}{4}$ ③ $\dfrac{4\sqrt{3}}{3}$

④ $\dfrac{8}{3}$ ⑤ $2\sqrt{3}$

17 오른쪽 그림과 같이 $\overline{AB} = 12$ cm, $\overline{BC} = 3\sqrt{5}$ cm 인 $\triangle ABC$에서 $\cos B = \dfrac{\sqrt{7}}{3}$일 때, $\triangle ABC$의 넓이를 구하시오.

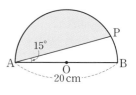

18 오른쪽 그림과 같이 길이가 20 cm인 선분 AB를 지름으로 하는 반원 O에서 호 AB 위의 점 P에 대하여 $\angle PAB = 15°$일 때, 색칠한 부분의 넓이를 구하시오.

19 오른쪽 그림과 같이 한 모서리의 길이가 6인 정육면체를 세 꼭짓점 B, C, D를 지나는 평면으로 잘랐을 때, 잘라 낸 삼각뿔의 꼭짓점 A에서 면 BCD에 내린 수선의 발을 H라 하자. $\angle BAH = x$라 할 때, 삼각뿔을 자르고 남은 입체도형의 부피를 x를 사용하여 나타내면?

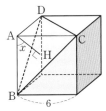

① $36(6-\sqrt{2}\sin x)$　② $36(6-\sqrt{2}\cos x)$

③ $36(6-\sqrt{3}\sin x)$　④ $36(6-\sqrt{3}\cos x)$

⑤ $36(6-\sqrt{3}\tan x)$

20 오른쪽 그림과 같이 $\overline{AB}=8$, $\overline{BC}=10$이고 $\angle B=60°$인 $\triangle ABC$에서 내접원 I의 반지름의 길이를 구하시오.

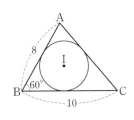

21 오른쪽 그림과 같이 한 변의 길이가 18인 정삼각형 ABC에 정삼각형 DEF가 내접하고 있을 때, $\triangle DEF$의 한 변의 길이를 구하시오.

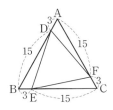

22 오른쪽 그림의 □ABCD에서 $\overline{AB}=8\,cm$, $\overline{BC}=10\,cm$, $\overline{CD}=5\,cm$, $\angle ABD=30°$, $\angle BCD=60°$일 때, □ABCD의 넓이를 구하시오.

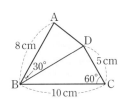

23 오른쪽 그림의 □ABCD에서 $\overline{AC}=3\sqrt{2}$, $\overline{AD}=\sqrt{2}$, $\overline{BC}=4$이고 $\angle ACB=45°$일 때, □ABCD의 넓이의 최댓값을 구하시오.

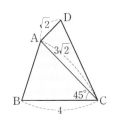

중요

24 오른쪽 그림의 정사각형 ABCD에서 $\overline{AP}:\overline{PD}=1:2$, $\overline{CQ}:\overline{QD}=1:2$이고 $\angle PBQ=x$일 때, $\sin x$의 값을 구하시오.

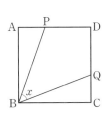

25 오른쪽 그림의 □ABCD에서 $\overline{AB}=4\,cm$, $\overline{BC}=12\,cm$, $\overline{CD}=8\,cm$, $\angle B=\angle C=60°$이다. $\overline{AE}$가 □ABCD의 넓이를 이등분할 때, $\overline{CE}$의 길이를 구하시오.

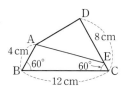

중요

26 오른쪽 그림과 같이 $\overline{AB}=8\,cm$, $\overline{BC}=14\,cm$, $\angle B=45°$인 평행사변형 ABCD가 있다. 두 점 M, N이 각각 $\overline{BC}$, $\overline{CD}$의 중점일 때, △AMN의 넓이를 구하시오.

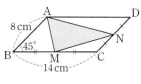

27 다음 그림의 삼각형 ABC와 평행사변형 DEFG의 넓이가 같을 때, $a : c$는?

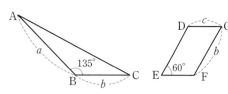

① $\sqrt{6} : 1$ ② $\sqrt{3} : 1$ ③ $\sqrt{2} : \sqrt{3}$

④ $2 : 3$ ⑤ $4 : 3$

28 오른쪽 그림과 같이 폭이 각각 a, b로 일정한 두 종이테이프가 서로 겹쳐져 있다. $\angle ABC=x$라 할 때, 다음 중 색칠한 부분의 넓이를 구하는 식으로 알맞은 것은? (단, $0°<x<90°$)

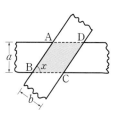

① $ab \sin x$ ② $\dfrac{ab}{\sin x}$ ③ $\dfrac{ab}{2 \sin x}$

④ $\dfrac{ab}{1-\cos x}$ ⑤ $ab(1-\cos x)$

29 오른쪽 그림의 □ABCD에서 $\overline{BC}=8$, $\overline{BD}=9$이고 $\angle ACB=30°$, $\angle BAC=90°$, $\angle DBC=15°$일 때, □ABCD의 넓이를 구하시오.

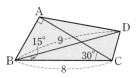

30 오른쪽 그림과 같이 $\overline{AB}=5$, $\overline{AC}=6$, $\overline{AD}=4$, $\overline{BD}=8$인 □ABCD의 넓이가 최대가 될 때, $\overline{BC}^2-\overline{CD}^2$의 값을 구하시오.

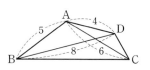

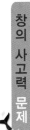

31 이탈리아 서부에 있는 '피사의 사탑'은 세워진 이후 조금씩 기울어져서 1990년에 기울어진 각의 크기가 5.5°에 이르렀는데, 현재는 여러 노력으로 기울어진 각의 크기를 4°로 되돌려 놓았다고 한다. 오른쪽 그림은 이 사탑의 꼭대기에서 지면으로 내린 수선, 사탑의 가장자리, 지면이 이루는 형태를 △ABC로 나타낸 것이다. $\overline{AC}=56$ m일 때, 현재 $\overline{BC}$의 길이는 1990년에 비해 몇 m 늘어났는지 구하시오.

(단, $\cos 4°=0.998$, $\cos 5.5°=0.995$로 계산한다.)

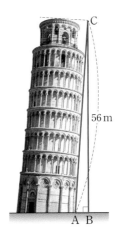

32 오른쪽 그림과 같이 수면으로부터 높이가 300 m인 전망대를 향해 일정한 속력으로 일직선으로 움직이는 배가 있다. 이 배가 A 지점에 있을 때 전망대의 P 지점에서 내려다본 각의 크기는 30°이었고, 5분 후에 내려다본 각의 크기는 60°이었을 때, 이 배의 속력은 분속 몇 m인지 구하시오.

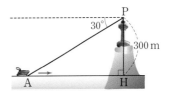

(단, $\sqrt{3}=1.73$으로 계산한다.)

33 오른쪽 그림과 같이 넓이가 S인 평행사변형 ABCD에 대하여 네 변의 길이를 모두 10 %씩 늘여서 만든 사각형의 넓이를 P라 하고, 대각선 AC의 길이는 30 % 늘이고 대각선 BD의 길이는 10 % 줄여서 만든 사각형의 넓이를 Q라 하자. 이때 P와 Q의 값은 각각 S의 값의 몇 %인지 구하시오.

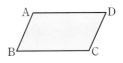

01 경사각의 크기가 A인 도로의 경사도는 다음과 같이 계산한다.

$$(\text{도로의 경사도})=\tan A \times 100(\%)$$

자동차가 해발 $400\,\mathrm{m}$인 지점에서 출발하여 경사도가 $25\,\%$인 오르막길 도로를 $1\,\mathrm{km}$ 달렸을 때, 이 자동차는 해발 몇 m인 지점에 있는지 반올림하여 소수점 아래 첫째 자리까지 구하시오.

(단, $\sqrt{17}=4.1$로 계산한다.)

02 오른쪽 그림과 같이 정사각형 ABCD의 $\overline{\mathrm{BC}}$의 중점 M에서 출발한 빛이 $\overline{\mathrm{AB}}$, $\overline{\mathrm{AD}}$ 위의 각 점 P, Q에서 반사되어 꼭짓점 C에 도착하였다. $\angle \mathrm{PMB}=x$라 할 때, $\tan x$의 값을 구하시오.

(단, 빛의 입사각의 크기와 반사각의 크기는 같다.)

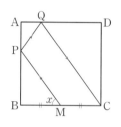

03 오른쪽 그림과 같이 정사각뿔 모양의 건축물에서 $9\,\mathrm{m}$ 떨어진 곳에 지면과 수직으로 서 있는 조형물이 있다. 이 조형물에 지면과 $30°$의 각도로 빛이 비추어져 그림자의 일부가 건축물의 옆면에 $3\sqrt{2}\,\mathrm{m}$만큼 나타났다. 이 건축물의 옆면과 지면이 이루는 각의 크기가 $45°$일 때, 조형물의 높이를 구하시오.

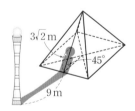

04 오른쪽 그림의 △ABC에서 점 I는 내심이고, 점 D는 $\overline{AI}$의 연장선과 $\overline{BC}$가 만나는 점이다. $\overline{AD}=8$이고 ∠BAD=30°, ∠C=45°일 때, △ABC의 넓이를 구하시오.

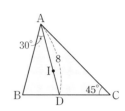

05 오른쪽 그림은 예각삼각형 ABC에서 $\overline{AB}$의 연장선 위에 $\overline{AB}=\overline{BP}$가 되도록 점 P를 잡고, 같은 방법으로 $\overline{BC}$, $\overline{CA}$의 연장선 위에 각각 점 Q, R를 잡아 △PQR를 만든 것이다. △ABC=3일 때, △PQR의 넓이를 구하시오.

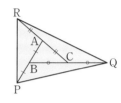

06 오른쪽 그림과 같이 한 변의 길이가 6인 정삼각형 ABC의 $\overline{BC}$ 위의 한 점 P에서 $\overline{AB}$, $\overline{AC}$에 내린 수선의 발을 각각 Q, R라 하자. $\overline{PQ}^2+\overline{PR}^2=15$일 때, △QPR의 넓이를 구하시오.

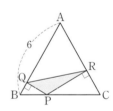

07 오른쪽 그림과 같이 반지름의 길이가 1 cm인 4개의 원이 서로 외접할 때 생기는 색칠한 부분의 넓이의 최댓값과 최솟값의 차를 구하시오.

(단, 네 점 O, P, Q, R는 각 원의 중심이다.)

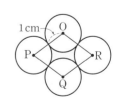

1~2 서술형 완성하기

모든 문제는 풀이 과정을 자세히 서술한 후 답을 쓰세요.

1 오른쪽 그림과 같이 한 모서리의 길이가 2인 정사면체에서 $\overline{BC}$, $\overline{AD}$의 중점을 각각 M, N이라 하자. $\angle AMN=x$, $\angle ADM=y$라 할 때, $\sin x \times \tan y$의 값을 구하시오.

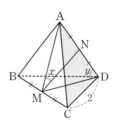

풀이 과정

답

2 오른쪽 그림과 같이 반지름의 길이가 8인 사분원에서 $\cos a = \dfrac{3}{4}$일 때, $\triangle CAE$의 넓이를 구하시오.

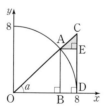

풀이 과정

답

3 오른쪽 그림과 같이 부채꼴 AOB 안에 직사각형 CDEF를 그렸다. $\overline{OC}=2\,\mathrm{cm}$이고 $\angle AOF=15°$, $\angle FOB=30°$일 때, □CDEF의 넓이를 구하시오.

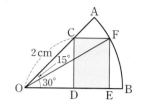

풀이 과정

답

4 오른쪽 그림과 같이 지면 위에 일직선으로 있는 세 지점 B, C, D에서 산의 정상 A 지점을 올려다본 각의 크기가 각각 60°, 45°, 30°이었다. $\overline{CD}=100\,\mathrm{m}$일 때, 두 지점 A, B 사이의 거리를 구하시오.

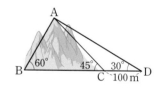

풀이 과정

답

5 오른쪽 그림은 폭이 4 cm인 직사각형 모양의 종이테이프를 $\overline{AC}$를 접는 선으로 하여 접은 것이다. $\angle ABC=45°$일 때, $\triangle ABC$의 넓이를 구하시오.

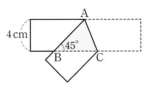

풀이 과정

답

6 오른쪽 그림의 $\triangle ABC$에서 $\overline{AD}:\overline{BD}=3:2$, $\overline{AE}:\overline{CE}=3:1$이다. $\triangle ADE$의 넓이를 S, $\square DBCE$의 넓이를 T라 할 때, $\dfrac{S}{T}$의 값을 구하시오.

풀이 과정

답

7 오른쪽 그림과 같이 정삼각형 ABC의 두 변 AC, AB 위에 $\overline{AD}=\overline{BE}$가 되도록 두 점 D, E를 잡았다. $\overline{BD}$와 $\overline{CE}$의 교점을 P라 하고 $\angle CPD=a$라 할 때, $\cos a$의 값을 구하시오.

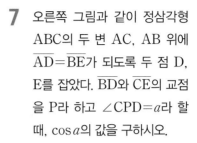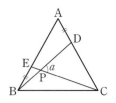

풀이 과정

답

8 오른쪽 그림의 두 정사각형 ABCD, BEFG에서 $\triangle BGH$와 $\triangle BJI$는 각각 $\overline{BG}=\overline{BH}$, $\overline{BI}=\overline{BJ}$인 이등변삼각형이다. $\overline{AB}=3\sqrt{3}$ cm이고 $\angle HBG=\angle IBJ=30°$일 때, $\triangle BGH$와 $\triangle BJI$의 넓이의 합을 구하시오.

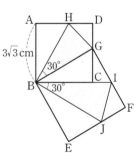

풀이 과정

답

3 원과 직선

개념+ 대표 문제 확인하기

● 정답과 해설 19쪽

01 원의 현

1 현의 수직이등분선

(1) 원에서 현의 수직이등분선은 그 원의 중심을 지난다.

(2) 원의 중심에서 현에 내린 수선은 그 현을 수직이등분한다.

➡ $\overline{AB} \perp \overline{OM}$이면 $\overline{AM} = \overline{BM}$

2 현의 길이

(1) 한 원에서 중심으로부터 같은 거리에 있는 두 현의 길이는 같다.

➡ $\overline{OM} = \overline{ON}$이면 $\overline{AB} = \overline{CD}$

(2) 한 원에서 길이가 같은 두 현은 원의 중심으로부터 같은 거리에 있다.

➡ $\overline{AB} = \overline{CD}$이면 $\overline{OM} = \overline{ON}$

대표 문제

1 오른쪽 그림의 원 O에서 $\overline{AB} \perp \overline{OC}$이고 $\overline{AB} = 16\,\text{cm}$, $\overline{CM} = 4\,\text{cm}$일 때, $\overline{OB}$의 길이를 구하시오.

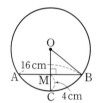

4 오른쪽 그림과 같이 점 O를 중심으로 하는 두 원에서 큰 원의 현 AB는 작은 원의 접선이다. $\overline{AB} = 30$일 때, 색칠한 부분의 넓이를 구하시오.

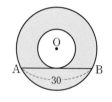

2 오른쪽 그림의 원 O에서 $\angle OAB = 30°$이고 $\overline{AB} = 6\sqrt{3}\,\text{cm}$일 때, $\triangle OAB$의 넓이를 구하시오.

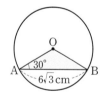

5 오른쪽 그림의 원 O에서 $\overline{AB} \perp \overline{OM}$, $\overline{CD} \perp \overline{ON}$이고 $\overline{OM} = \overline{ON} = 2\,\text{cm}$, $\overline{CD} = 4\,\text{cm}$일 때, $\overline{OA}$의 길이를 구하시오.

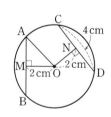

3 오른쪽 그림은 인혁이가 실수로 깨뜨린 원 모양의 접시의 조각이다. 원래 이 접시의 반지름의 길이를 구하시오.

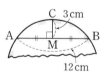

6 오른쪽 그림의 원 O에서 $\overline{AB} \perp \overline{OM}$, $\overline{AC} \perp \overline{ON}$이고 $\overline{OM} = \overline{ON}$이다. $\angle MON = 130°$일 때, $\angle ABC$의 크기를 구하시오.

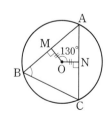

02 원의 접선

1 원의 접선의 성질

(1) 원의 접선은 그 접점을 지나는 반지름에 수직이다.

➡ $\angle PAO = \angle PBO = 90°$

(2) 원 밖의 한 점에서 그 원에 그은 두 접선의 길이는 같다.

➡ $\overline{PA} = \overline{PB}$

접선의 길이

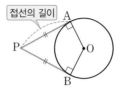

참고 △PAO와 △PBO에서
$\angle PAO = \angle PBO = 90°$, $\overline{OP}$는 공통, $\overline{OA} = \overline{OB}$(반지름)이므로
△PAO≡△PBO(RHS 합동)
∴ $\overline{PA} = \overline{PB}$

2 삼각형의 내접원

원 O는 △ABC의 내접원이고 세 점 D, E, F는 그 접점일 때

➡ $\overline{AD} = \overline{AF}$, $\overline{BD} = \overline{BE}$, $\overline{CE} = \overline{CF}$

참고 • (△ABC의 둘레의 길이)$= a+b+c = 2(x+y+z)$

• $\triangle ABC = \dfrac{1}{2}r(a+b+c) = r(x+y+z)$
　　　　　↳ 원 O의 반지름의 길이

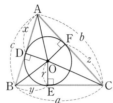

3 원에 외접하는 사각형의 성질

원에 외접하는 사각형에서 두 쌍의 대변의 길이의 합은 서로 같다.

➡ $\overline{AB} + \overline{CD} = \overline{AD} + \overline{BC}$

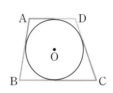

■ 접선의 길이의 응용

$\overline{AD}$, $\overline{AE}$, $\overline{BC}$는 원 O의 접선이고 세 점 D, E, F는 그 접점일 때

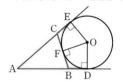

$\overline{AD} = \overline{AE}$, $\overline{BD} = \overline{BF}$, $\overline{CE} = \overline{CF}$이므로
(△ABC의 둘레의 길이)
$= \overline{AB} + \overline{BC} + \overline{CA}$
$= \overline{AB} + \overline{BF} + \overline{CF} + \overline{CA}$
$= \overline{AB} + \overline{BD} + \overline{CE} + \overline{CA}$
$= \overline{AD} + \overline{AE}$
$= 2\overline{AD} = 2\overline{AE}$

대표 문제

7 오른쪽 그림에서 두 점 A, B는 점 P에서 원 O에 그은 두 접선의 접점이다. $\overline{OP}$와 원 O의 교점을 C라 하고 $\overline{PA} = 12$, $\overline{PC} = 8$일 때, □APBO의 둘레의 길이를 구하시오.

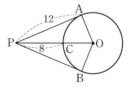

8 오른쪽 그림에서 $\overline{AD}$, $\overline{AE}$, $\overline{BC}$는 원 O의 접선이고 세 점 D, E, F는 그 접점이다. $\overline{AB} = 15$, $\overline{AC} = 10$, $\overline{AE} = 18$일 때, $\overline{BC}$의 길이를 구하시오.

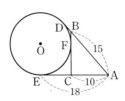

9 오른쪽 그림에서 원 O는 △ABC의 내접원이고 세 점 D, E, F는 그 접점이다. $\overline{AB} = 10\,cm$, $\overline{BC} = 12\,cm$, $\overline{CA} = 8\,cm$일 때, $\overline{AD}$의 길이를 구하시오.

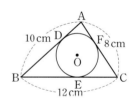

10 오른쪽 그림에서 □ABCD는 원 O에 외접하고 $\overline{AB} : \overline{AD} = 3 : 2$이다. $\overline{BC} = 14\,cm$, $\overline{CD} = 11\,cm$일 때, $\overline{AD}$의 길이를 구하시오.

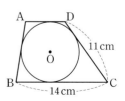

01 원의 현

1 오른쪽 그림과 같이 △ABC의 외접원의 중심 O에서 $\overline{AB}$, $\overline{AC}$에 내린 수선의 발을 각각 M, N이라 하자. $\overline{AB}=13$, $\overline{AC}=9$, $\overline{BC}=12$일 때, $\overline{MN}$의 길이를 구하시오.

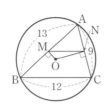

중요
4 오른쪽 그림은 어느 지역에 새롭게 건설될 다리를 디자인한 것이다. 다리의 곡선 부분은 반지름의 길이가 200 m인 원의 일부분이고, $\overline{CH}$는 $\overline{AB}$의 수직이등분선이다. $\overline{AB}=240$ m일 때, $\overline{CH}$의 길이는?

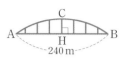

① 40 m   ② $40\sqrt{2}$ m   ③ 60 m

④ $40\sqrt{3}$ m   ⑤ $60\sqrt{3}$ m

2 오른쪽 그림과 같이 원 P가 좌표평면 위에서 y축과 두 점 A$(0, 4)$, B$(0, 2)$에서 만나고, x축과 점 C에서 접할 때, 원 P의 넓이를 구하시오.

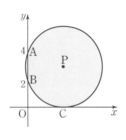

5 오른쪽 그림과 같이 원 모양의 색종이를 원 위의 한 점이 원의 중심 O에 오도록 $\overline{AB}$를 접는 선으로 하여 접었다. $\overline{AB}=6$ cm일 때, $\overarc{AOB}$의 길이를 구하시오.

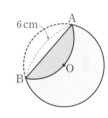

교과서 속 심화
3 오른쪽 그림과 같이 반지름의 길이가 17 cm인 원 O에서 현 AB의 길이는 30 cm이다. 원 O 위를 움직이는 점 P에 대하여 △PAB의 넓이의 최댓값을 구하시오.

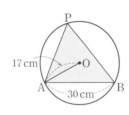

중요
6 오른쪽 그림과 같이 점 O를 중심으로 하는 두 원에서 큰 원의 현 AB가 작은 원과 만나는 두 점을 C, D라 하자. 두 원의 반지름의 길이의 합이 27 cm이고 $\overline{AB}=4\overline{CD}=24$ cm일 때, 큰 원의 반지름의 길이를 구하시오.

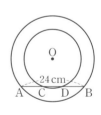

7 오른쪽 그림과 같이 중심이 O로 같고 반지름의 길이가 각각 15, 12인 두 반원이 있다. $\overline{AB}\perp\overline{CD}$이고, 큰 원의 현 BC는 작은 원과 점 E에서 접할 때, $\overline{CD}$의 길이를 구하시오.

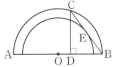

8 오른쪽 그림과 같이 두 원 O, O'의 교점 P를 지나는 직선이 두 원과 만나는 점을 각각 A, B라 하고, 두 원의 중심에서 $\overline{AB}$에 내린 수선의 발을 각각 M, N이라 하자. $\overline{OO'}=8\,cm$, $\overline{OM}=6\,cm$, $\overline{O'N}=4\,cm$일 때, $\overline{AB}$의 길이를 구하시오.

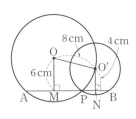

9 오른쪽 그림과 같이 점 O를 중심으로 하는 두 원에서 큰 원의 두 현 AB, AC는 작은 원의 접선이고, 두 점 M, N은 그 접점이다. 점 D는 $\overline{OB}$와 작은 원의 교점이고 $\overline{AC}=24\,cm$, $\overline{BD}=8\,cm$일 때, 작은 원의 둘레의 길이를 구하시오.

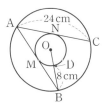

교과서 **속** 심화

10 오른쪽 그림에서 $\overline{BC}$는 원 O의 지름이고 $\overline{AB}/\!/\overline{CD}$이다. 원 O의 반지름의 길이는 $4\,cm$이고 $\overline{AB}=\overline{CD}=6\,cm$일 때, 두 현 AB와 CD 사이의 거리는?

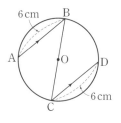

① 2 cm   ② $\sqrt{7}$ cm   ③ 4 cm

④ $2\sqrt{7}$ cm   ⑤ 10 cm

11 ^{중요} 오른쪽 그림의 원 O에서 $\overline{AB}\perp\overline{OM}$, $\overline{AC}\perp\overline{ON}$이고 $\overline{OM}=\overline{ON}$이다. $\overline{BC}=12\,cm$이고 $\angle MON=120°$일 때, 원 O의 넓이는?

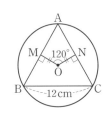

① $12\pi\,cm^2$ ② $24\pi\,cm^2$ ③ $36\pi\,cm^2$

④ $42\pi\,cm^2$ ⑤ $48\pi\,cm^2$

02 원의 접선

교과서 **속** 심화

12 다음 그림과 같이 크고 작은 두 개의 원 모양의 바퀴가 벨트로 연결되어 있다. 작은 바퀴 쪽의 벨트가 이루는 가의 크기가 37°일 때, 큰 바퀴에서 벨트가 닿지 않는 부분이 이루는 호에 대한 중심각의 크기를 구하시오.

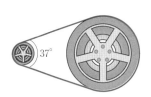

13 오른쪽 그림에서 두 점 A, B 는 점 P에서 원 O에 그은 두 접선의 접점이다.

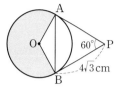

∠APB=60°이고 $\overline{PB}=4\sqrt{3}$ cm일 때, 다음 보기 중 옳은 것을 모두 고르시오.

┤ 보기 ├

ㄱ. $\overline{AB}=4\sqrt{3}$ cm　　　　　ㄴ. $\overline{OB}=3$ cm

ㄷ. △OBA=$4\sqrt{3}$ cm²

ㄹ. (색칠한 부분의 넓이)=6π cm²

14 오른쪽 그림과 같이 한 직 선 위의 두 점 O, O′을 중 심으로 반지름의 길이가 각각 2 cm, 4 cm인 두 반 원을 그렸을 때, 점 B는 두 반원 O, O′의 교점이다.

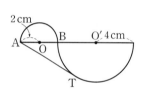

$\overline{AT}$는 반원 O′의 접선이고 점 T는 그 접점일 때, 색 칠한 부분의 넓이를 구하시오.

15 오른쪽 그림에서 $\overline{AB}$, $\overline{PQ}$ 는 두 원 O, O′의 공통인 접 선이고 세 점 A, B, Q는 그 접점이다. ∠PAQ=50°일 때, ∠QBO′의 크기를 구하시오.

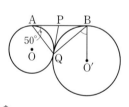

16 오른쪽 그림에서 $\overrightarrow{AD}$, $\overrightarrow{AE}$, $\overline{BC}$는 원 O의 접선이고 세 점 D, E, F는 그 접점이다.

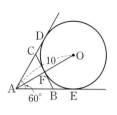

$\overline{OA}=10$이고 ∠CAB=60°일 때, △ABC의 둘레의 길이를 구하시오.

17 오른쪽 그림에서 $\overline{PA}$, $\overline{PB}$, $\overline{CD}$ 는 원 O의 접선이고 세 점 A, B, E는 그 접점이다. △PDC의 둘 레의 길이는 48 cm이고

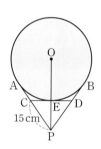

$\overline{PC}=15$ cm일 때, 원 O의 넓이 는?

① 256π cm²　　② 289π cm²　　③ 324π cm²

④ 361π cm²　　⑤ 400π cm²

18 오른쪽 그림에서 □ABCD는 한 변의 길이가 8인 정사각형 이다. $\overline{CD}$ 위의 점 E에 대하여 $\overline{AE}$는 $\overline{BC}$가 지름인 반원의 접 선이고 점 F는 그 접점일 때, △AED의 넓이를 구하시오.

중요

19 오른쪽 그림에서 $\overline{AD}$, $\overline{BC}$, $\overline{CD}$ 는 반원 O의 접선이고 세 점 A, B, E는 그 접점이다. $\overline{AD}=2\,cm$, $\overline{BC}=8\,cm$일 때, △COD의 넓이를 구하시오.

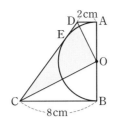

22 오른쪽 그림과 같이 밑면인 원의 반지름의 길이가 4, 모선의 길이가 16인 원뿔에 구가 꼭 맞게 들어 있을 때, 구의 반지름의 길이를 구하시오.

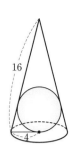

20 오른쪽 그림에서 $\overline{AD}$, $\overline{BC}$, $\overline{CD}$는 반원 O의 접선이고 세 점 A, B, T는 그 접점이다. $\overline{AD}=9$, $\overline{BC}=4$일 때, $\overline{AT}$의 길이를 구하시오.

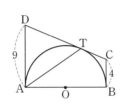

중요

23 오른쪽 그림과 같이 $\overline{AB}=12\,cm$, $\overline{BC}=15\,cm$ 인 직사각형 ABCD를 꼭 짓점 B가 $\overline{AD}$ 위의 점 E 에 오도록 접었다. 이때 △ECD에 내접하는 원의 넓이를 구하시오.

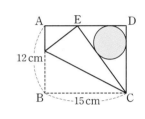

교과서 속 심화

21 오른쪽 그림과 같이 이 웃한 원과 차례로 한 점 에서 만나는 4개의 원 이 각각 삼각형에 내접 할 때, $\overline{AB}$의 길이를 구하시오.

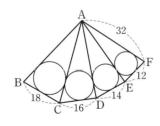

24 크기가 같은 원기둥 모양의 상수도관 2개를 직육면체 모양의 상자에 싣고 트럭으로 운반하려고 한다. 상수 도관이 움직이지 못하도록 다음 그림과 같이 상수도관 과 판자를 꼭 맞게 끼웠을 때, 판자의 길이 L을 구하 시오. (단, 판자의 두께는 생각하지 않는다.)

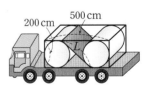

25 오른쪽 그림에서 □ABCD는 반지름의 길이가 5 cm인 원 O에 외접하고 $\overline{AD}=7$ cm, $\overline{BC}=13$ cm일 때, □ABCD의 넓이를 구하시오.

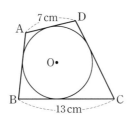

26 다음 그림과 같이 세 원 O_1, O_2, O_3이 각각 사각형에 내접할 때, $a+d$의 값을 구하시오.

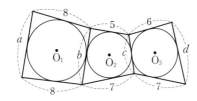

중요

27 오른쪽 그림에서 원 O는 직사각형 ABCD의 세 변과 $\overline{DI}$에 접하고 네 점 E, F, G, H는 그 접점이다. $\overline{AB}=12$, $\overline{AD}=18$일 때, △DIC의 넓이를 구하시오.

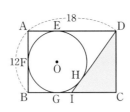

28 오른쪽 그림과 같이 $\overline{BC}=10$ cm, $\overline{CD}=8$ cm인 직사각형 ABCD에서 점 C를 중심으로 $\overline{CD}$의 길이를 반지름으로 하는 사분원을 그렸다. $\overline{BF}$는 사분원의 접선이고 점 E는 그 접점일 때, $\overline{AF}$의 길이를 구하시오.

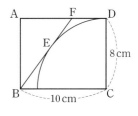

중요

29 오른쪽 그림과 같이 직사각형 ABCD의 두 변 AB, AD에 접하는 원 O와 두 변 BC, CD에 접하는 원 O′이 한 점에서 만나고 있다. 원 O의 반지름의 길이가 4 cm이고 $\overline{AB}=10$ cm, $\overline{AD}=12$ cm일 때, 원 O′의 반지름의 길이를 구하시오.

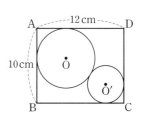

30 오른쪽 그림과 같이 한 변의 길이가 12 cm인 정삼각형 ABC의 내부에 크기가 같은 3개의 원이 서로 한 점에서 만나면서 각각 △ABC의 두 변에 접하고 있다. 이때 원의 반지름의 길이를 구하시오.

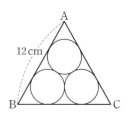

31 다음 글을 읽고 ☐ 안에 알맞은 수를 구하시오.

> 오른쪽 그림과 같이 크기가 같은 두 원 O, O′을 서로의 중심이 지나도록 그렸을 때, 겹치는 부분을 베시카 피시스(Vesica Piscis)라 한다. 이 이름은 도형의 모양이 물고기를 닮았다고 하여 '물고기의 부레'를 뜻하는 그리스어에서 유래하였다. 베시카 피시스의 세로와 가로, 즉 $\overline{OO'}$과 $\overline{AB}$의 길이의 비는 1 : ☐이다.

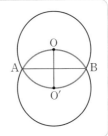

32 오른쪽 그림과 같이 밑면의 반지름의 길이가 5 cm인 원기둥 모양의 필통을 끈으로 감아 지점 P에서 매듭지은 후 끈을 들어 올렸다. 지점 P와 필통 사이의 최단 거리가 5 cm일 때, 매듭의 윗부분을 제외하고 필통을 감아 매듭지은 지점 P까지 사용된 끈의 길이를 구하시오. (단, 끈의 두께와 매듭에 쓰인 끈의 길이는 생각하지 않는다.)

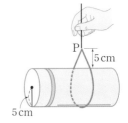

33 오른쪽 그림과 같이 둘레의 길이가 6 km인 사각형 모양의 도로가 원 모양의 호수에 외접한다. 건규가 이 도로의 지점 A에서 출발하여 일정한 속력으로 두 지점 B, C를 지나 지점 D까지 가는 데 1시간이 걸렸고, 그중 지점 B에서 지점 C까지 가는 데 15분이 걸렸다고 한다. 이때 두 지점 A, D 사이의 거리를 구하시오.

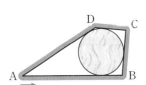

01 오른쪽 그림과 같이 반지름의 길이가 $15\,cm$인 원 O의 내부에 원의 중심으로부터의 거리가 $9\,cm$인 점 P가 있다. 이때 점 P를 지나면서 길이가 정수인 현의 개수를 구하시오.

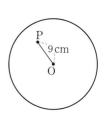

02 오른쪽 그림의 원에서 점 P는 두 현 AB, CD의 수직이등분선의 교점이다. $\overline{AB} : \overline{CD} = 2 : 1$, $\angle APB = 90°$이고 $\angle PDC = x$일 때, $\sin x$의 값을 구하시오.

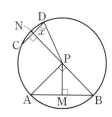

03 오른쪽 그림과 같이 원 모양의 호수에 있는 두 다리 $\overline{AB}$, $\overline{CD}$가 P 지점에서 수직으로 만나고 있다. $\overline{AP} = 80\,m$, $\overline{BP} = 60\,m$, $\overline{CP} = 40\,m$, $\overline{DP} = 120\,m$일 때, 이 호수의 둘레의 길이를 구하시오.

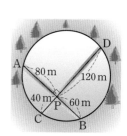

TOP
04 오른쪽 그림과 같이 서로 외접하는 세 원 O_1, O_2, O_3의 둘레의 길이가 각각 2π, 4π, 6π일 때, 세 원 O_1, O_2, O_3의 세 접점을 지나는 원의 둘레의 길이를 구하시오.

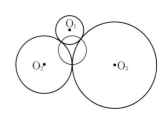

05

오른쪽 그림에서 반지름의 길이가 $2\,\text{cm}$인 원 O는 $\angle C = 90°$인 직각삼각형 ABC에 내접하고 세 점 D, E, F는 그 접점이다. 점 P는 점 E에서 출발하여 점 B를 거쳐 점 A까지, 점 Q는 점 F에서 출발하여 점 A까지 각각 일정한 속력으로 변을 따라 움직인다. 점 P의 속력은 점 Q의 속력의 $\dfrac{7}{3}$배이고, 두 점 P, Q가 동시에 출발하여 점 A에 동시에 도착할 때, $\triangle ABC$의 넓이를 구하시오.

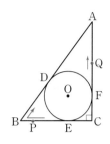

06

오른쪽 그림과 같이 지름의 길이가 20인 세 원 O, P, Q가 두 점 B, C에서 서로 접하고 있다. $\overrightarrow{DT}$는 원 O와 점 T에서 접하고, $\overline{DT}$와 원 P의 두 교점을 각각 E, F라 할 때, $\overline{TE}$의 길이를 구하시오.

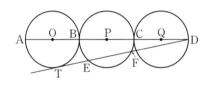

(단, 두 점 B, C는 $\overline{AD}$ 위의 점이다.)

07

오른쪽 그림과 같이 반지름의 길이가 4인 원 안에 크기가 두 종류인 6개의 원이 서로 접하고 있다. 이 6개의 원의 각 중심을 꼭짓점으로 하는 육각형의 넓이를 구하시오.

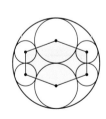

3 서술형 완성하기

모든 문제는 풀이 과정을 자세히 서술한 후 답을 쓰세요.

1 오른쪽 그림의 원 O에서 $\overline{AB} \perp \overline{CD}$이고 $\overline{AM} = 5\,cm$, $\overline{CD} = 2\sqrt{5}\,cm$일 때, $\overline{AB}$의 길이를 구하시오.

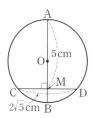

풀이 과정

답

2 다음 그림과 같이 반지름의 길이가 18인 원 O에서 부채꼴 AOB를 잘라서 이를 옆면으로 하는 원뿔을 만들었더니 밑면인 원의 반지름의 길이가 6이었다. 이때 $\overline{AB}$의 길이를 구하시오.

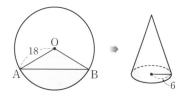

풀이 과정

답

3 오른쪽 그림과 같이 △ABC가 원 O에 내접할 때, 원 O의 중심에서 △ABC의 세 변에 내린 수선의 발을 각각 D, E, F라 하자. $\overline{OD} = \overline{OE} = \overline{OF} = 3\,cm$일 때, △ABC의 둘레의 길이를 구하시오.

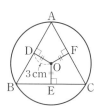

풀이 과정

답

4 오른쪽 그림에서 원 O는 △ABC의 내접원이고 세 점 D, E, F는 그 접점이다. $\overline{PQ}$는 원 O의 접선이고 점 R는 그 접점이다. △PQC의 둘레의 길이는 $8\,cm$이고 $\overline{AC} = 7\,cm$, $\overline{BC} = 10\,cm$일 때, △ABC의 둘레의 길이를 구하시오.

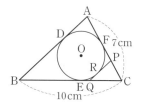

풀이 과정

답

5 오른쪽 그림에서 육각형 ABCDEF는 원에 외접하고 $\overline{BC}=8\,cm$, $\overline{CD}=7\,cm$, $\overline{DE}=5\,cm$, $\overline{EF}=4\,cm$, $\overline{FA}=10\,cm$ 일 때, $\overline{AB}$의 길이를 구하시오.

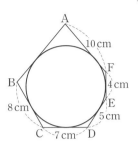

풀이 과정

답

6 오른쪽 그림과 같이 $\overline{AD}\,/\!/\,\overline{BC}$인 등변사다리꼴 ABCD는 원 O에 외접하고 $\overline{AD}=10\,cm$, $\overline{BC}=16\,cm$ 일 때, 색칠한 부분의 넓이를 구하시오.

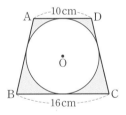

풀이 과정

답

7 오른쪽 그림에서 원 O는 $\overline{AB}$와 $\overparen{AB}$로 이루어진 활꼴에 내접하고 두 점 C, M은 그 접점이다. $\angle OAB=x$라 하면 $\tan x=\dfrac{\sqrt{3}}{6}$이고 $\overline{AM}=\overline{BM}$, $\overline{AB}=12$일 때, 색칠한 부분의 넓이를 구하시오.

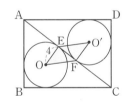

풀이 과정

답

8 오른쪽 그림의 직사각형 ABCD에서 반지름의 길이가 4인 두 원 O, O′은 각각 △ABC, △ACD에 내접하고 두 점 E, F는 각각 두 원 O, O′과 $\overline{AC}$의 접점이다. □ABCD의 둘레의 길이가 56일 때, □EOFO′의 넓이를 구하시오. (단, $\overline{AB}<\overline{BC}$)

풀이 과정

답

4 원주각

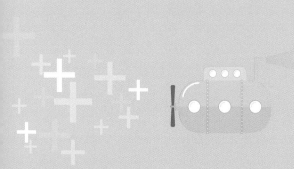

● 정답과 해설 29쪽

01 원주각

1 원주각과 중심각의 크기

(1) **원주각**: 원 O에서 $\widehat{AB}$ 위에 있지 않은 점 P에 대하여 ∠APB를 $\widehat{AB}$에 대한 원주각이라 하고, $\widehat{AB}$를 원주각 ∠APB에 대한 호라 한다.

(2) 원에서 한 호에 대한 원주각의 크기는 그 호에 대한 중심각의 크기의 $\frac{1}{2}$이다. ➡ $\angle APB = \frac{1}{2}\angle AOB$

■ **원주각의 크기와 호의 길이의 활용**

한 원에서

원의 둘레의 길이의 $\frac{1}{n}$

$\widehat{AB}$의 길이가 원의 둘레의 길이의 $\frac{1}{n}$이면

➡ $\angle ACB = \frac{1}{n} \times 180°$

한 원에서 모든 호에 대한 원주각의 크기의 합은 180°이다.

2 원주각의 성질

(1) 원에서 한 호에 대한 원주각의 크기는 모두 같다.

(2) **반원에 대한 원주각의 크기는 90°이다.**

반원에 대한 중심각의 크기는 180°이므로 원주각의 크기는 $\frac{1}{2} \times 180° = 90°$이다.

3 원주각의 크기와 호의 길이: 한 원 또는 합동인 두 원에서

(1) 길이가 같은 호에 대한 원주각의 크기는 같다.

➡ $\widehat{AB} = \widehat{CD}$이면 ∠APB = ∠CQD

(2) 크기가 같은 원주각에 대한 호의 길이는 같다.

➡ ∠APB = ∠CQD이면 $\widehat{AB} = \widehat{CD}$

(3) 호의 길이는 그 호에 대한 원주각의 크기에 정비례한다.

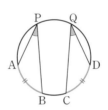

대표 문제

1 오른쪽 그림의 원 O에서 ∠APB=40°, ∠AOC=130°일 때, ∠BQC의 크기를 구하시오.

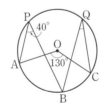

3 오른쪽 그림에서 점 P는 원의 두 현 AC, BD의 교점이다. $\widehat{BC}$=12 cm이고 ∠ACD=20°, ∠BPC=80°일 때, $\widehat{AD}$의 길이를 구하시오.

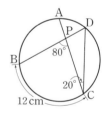

2 오른쪽 그림에서 $\overline{AB}$는 원 O의 지름이고 $\widehat{BD} = \widehat{CD}$, ∠BAD=28°일 때, ∠ADC의 크기를 구하시오.

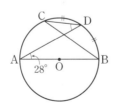

4 오른쪽 그림에서 $\widehat{AB}$의 길이는 원의 둘레의 길이의 $\frac{1}{3}$이고, $\widehat{AB} : \widehat{CD}$=5 : 3일 때, ∠$x$의 크기를 구하시오.

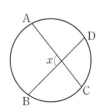

02 원주각의 활용 (1)

1 네 점이 한 원 위에 있을 조건

두 점 C, D가 직선 AB에 대하여 같은 쪽에 있을 때,
∠ACB＝∠ADB이면 네 점 A, B, C, D는 한 원 위에 있다.

> 참고 네 점 A, B, C, D가 한 원 위에 있으면 ∠ACB＝∠ADB이다.

2 원에 내접하는 사각형의 성질

원에 내접하는 사각형 ABCD에서

(1) ∠A＋∠C＝180° ← 마주 보는 두 각의 크기의 합은 180°이다.
　　∠B＋∠D＝180° ←

(2) ∠DCE＝∠A ← 한 외각의 크기는 그와 이웃한 내각의 대각의 크기와 같다.
　└→ ∠DCE＝180°－∠DCB＝∠A

3 사각형이 원에 내접하기 위한 조건: 다음의 각 경우에 □ABCD는 원에 내접한다.

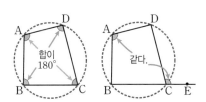

(1) ∠A＋∠C＝180°	(2) ∠DCE＝∠A	(3) ∠BAC＝∠BDC

> 참고 등변사다리꼴, 직사각형, 정사각형은 마주 보는 두 각의 크기의 합이 180°이므로 항상 원에 내접한다.

대표 문제

5 오른쪽 그림에서 ∠ACP＝34°,
∠CPD＝46°이고 네 점 A,
B, C, D가 한 원 위에 있을 때,
∠x의 크기를 구하시오.

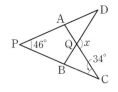

6 오른쪽 그림에서 □ABCD는
원 O에 내접하고 AD는 원 O
의 지름이다. ∠ABE＝65°,
∠ADB＝32°일 때,
∠y－∠x의 크기를 구하시오.

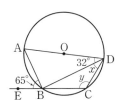

7 오른쪽 그림에서 오각형
ABCDE는 원 O에 내접하고
∠BAE＝94°, ∠CDE＝130°일
때, ∠BOC의 크기를 구하시오.

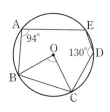

8 다음 보기 중 □ABCD가 원에 내접하는 것을 모두 고
르시오.

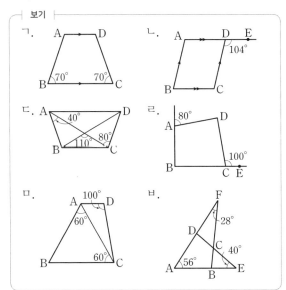

03 원주각의 활용 (2)

개념 활용하기

접선과 현이 이루는 각

원의 접선과 그 접점을 지나는 현이 이루는 각의 크기는
그 각의 내부에 있는 호에 대한 원주각의 크기와 같다.

➡ $\overrightarrow{AT}$는 원 O의 접선이고 점 A는 그 접점일 때
$$\angle BAT = \angle BPA$$

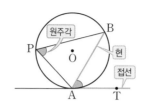

참고 오른쪽 그림과 같이 원 O의 지름 AB′과 $\overline{PB'}$을 그으면
$\angle B'AT = \angle B'PA = 90°$이고
$\angle B'AB = \angle B'PB(\overparen{BB'}$에 대한 원주각)이므로
$\angle BAT = 90° - \angle B'AB$
$\angle BPA = 90° - \angle B'PB$
∴ $\angle BAT = \angle BPA$

■ 두 원에서 접선과 현이 이루는 각

$\overleftrightarrow{PQ}$는 두 원의 공통인 접선이고
점 T는 그 접점일 때

(1)
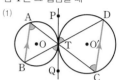

$\angle BAT = \angle BTQ = \angle DTP$
$\qquad = \angle DCT$(엇각)
이므로 $\overline{AB} /\!/ \overline{CD}$

(2)

$\angle BAT = \angle BTQ = \angle CTQ$
$\qquad = \angle CDT$(동위각)
이므로 $\overline{AB} /\!/ \overline{CD}$

대표 문제

9 오른쪽 그림에서
$\overrightarrow{PT}$는 원의 접선이고
점 T는 그 접점이다.
$\angle PAT = 42°$,
$\angle ACT = 107°$일 때,
$\angle x$의 크기를 구하시오.

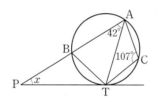

12 오른쪽 그림과 같이 지름의 길
이가 12 cm인 원 O에서 $\overleftrightarrow{BT}$
는 원 O의 접선이고 점 B는 그
접점이다. $\angle CBT = 30°$일 때,
$\triangle ABC$의 넓이를 구하시오.

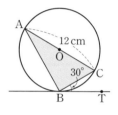

10 오른쪽 그림에서 $\overleftrightarrow{CT}$는 원의 접
선이고 점 C는 그 접점이다.
$\overparen{AB} : \overparen{BC} : \overparen{CA} = 5 : 4 : 3$일
때, $\angle ACT$의 크기를 구하시오.

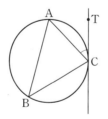

13 오른쪽 그림에서 원 O는
$\triangle ABC$의 내접원이면서
$\triangle DEF$의 외접원이고, 세
점 D, E, F는 원 O의 접점
이다. $\angle ECF = 48°$,
$\angle DEF = 53°$일 때, $\angle x$의 크기를 구하시오.

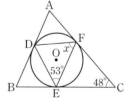

11 오른쪽 그림에서 $\overrightarrow{PT}$는 원 O
의 접선이고 점 B는 그 접점
이다. $\overline{AC}$는 원 O의 지름이
고 $\angle ABT = 67°$일 때, $\angle x$
의 크기를 구하시오.

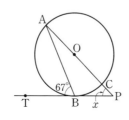

14 오른쪽 그림에서 $\overleftrightarrow{ST}$는
두 원의 공통인 접선이고
점 P는 그 접점이다.
$\angle BAC = 62°$,
$\angle BDC = 58°$일 때,
$\angle CPD$의 크기를 구하시오.

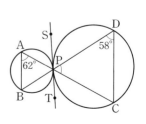

01 원주각

중요

1 오른쪽 그림의 원 O에서 점 P는 $\overline{AC}$, $\overline{BD}$의 연장선의 교점이다.
∠AOB=32°,
∠COD=78°일 때, ∠x의 크기를 구하시오.

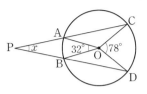

2 오른쪽 그림과 같이 반지름의 길이가 4 cm인 원 O에 내접하는 △ABC에서 ∠BAC=45°, ∠ACB=75°일 때, △ABC의 넓이를 구하시오.

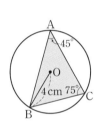

중요

3 오른쪽 그림에서 두 점 A, B는 점 P에서 원 O에 그은 두 접선의 접점이다. ∠APB=54°일 때, ∠PAQ+∠PBQ의 크기를 구하시오.

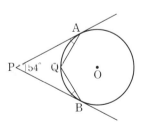

4 오른쪽 그림과 같이 원의 중심 O에서 이 원에 내접하는 △ABC의 각 변에 내린 수선의 발을 각각 P, Q, R라 하면 $\overline{OP}=\overline{OQ}=\overline{OR}$이다. △ABC에서 점 A를 ∠C=80°가 되도록 원의 둘레를 따라 점 A′으로 움직였을 때, ∠A′BC의 크기를 구하시오.

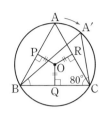

교과서 속 심화

5 오른쪽 그림과 같이 △ABC가 원에 내접할 때, 두 현 AD, BC의 교점을 E라 하자. $\overline{AB}=\overline{AC}=2\sqrt{3}$, $\overline{DE}=1$일 때, $\overline{AE}$의 길이를 구하시오.

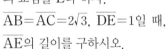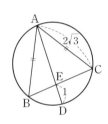

중요

6 오른쪽 그림에서 $\overline{AB}$는 반원 O의 지름이고 점 P는 $\overline{AC}$, $\overline{BD}$의 연장선의 교점이다. ∠COD=64°일 때, ∠x의 크기를 구하시오.

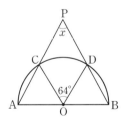

중요

7 오른쪽 그림과 같이 원 O에 내접 하는 △ABC에서 $\tan A = \frac{1}{2}$이고 $\overline{BC} = 3\,cm$일 때, 원 O의 둘레의 길이를 구하시오.

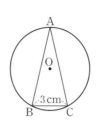

8 오른쪽 그림에서 $\overset{\frown}{BC} = \overset{\frown}{CD} = \overset{\frown}{DE}$이고 $\angle ADB = 60°$, $\angle BPC = 45°$일 때, $\angle BAD$의 크기를 구하시오.

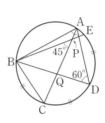

교과서 속 심화

9 오른쪽 그림과 같이 원 O의 두 현 AB, CD가 점 P에서 수직으로 만난다. $\overset{\frown}{AD} = 3\pi$, $\overset{\frown}{BC} = 7\pi$일 때, 원 O의 반지름의 길이를 구하시오.

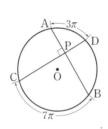

10 오른쪽 그림과 같이 원에 내접하는 정오각형 ABCDE에 대하여 $\overline{BD}$와 $\overline{CE}$의 교점을 F라 할 때, $\angle BFE$의 크기는?

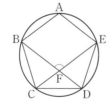

① 102° ② 104°
③ 106° ④ 108°
⑤ 110°

02 원주각의 활용 (1)

11 오른쪽 그림에서 $\overline{BD}$는 $\angle ABC$의 이등분선이고, 점 E는 $\overline{AC}$와 $\overline{BD}$의 교점 이다. $\overline{BE} = 12$, $\overline{ED} = 4$이고 네 점 A, B, C, D가 한 원 위에 있을 때, $\overline{CD}$의 길이를 구하시오.

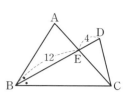

교과서 속 심화

12 오른쪽 그림과 같이 △ABC의 두 꼭짓점 B, C 에서 $\overline{AC}$, $\overline{AB}$에 내린 수선 의 발을 각각 D, E 라 하고, $\overline{BC}$의 중점을 M이라 하자. $\angle BAC = 65°$일 때, $\angle EMD$의 크기를 구하시오.

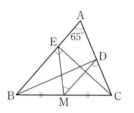

13 오른쪽 그림과 같이 □ABCE 와 □ABDE는 원 O에 내접하고 $\overline{AC}$는 원 O의 지름이다. $\angle ABD = 60°$, $\angle BPE = 102°$일 때, $\angle BAE$의 크기를 구하시오.

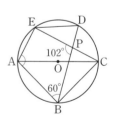

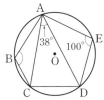

14 오른쪽 그림과 같이 원 O에 내접하는 오각형 ABCDE에서 ∠AED=100°, ∠CAD=38° 일 때, ∠ABC의 크기는?

① 110°　　② 112°

③ 114°　　④ 116°

⑤ 118°

17 다음 그림과 같이 다섯 원 O₁, O₂, O₃, O₄, O₅가 있다. ∠CJI=94°일 때, ∠y−∠x의 크기를 구하시오.

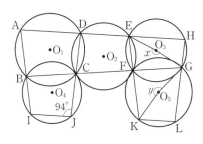

교과서 속 심화

15 오른쪽 그림과 같이 원에 내접하는 □ABCD에서 $\overline{AB}$, $\overline{CD}$의 연장선의 교점을 P, $\overline{AD}$, $\overline{BC}$의 연장선의 교점을 Q라 하자. ∠APD=24°, ∠AQB=44°일 때, ∠x의 크기를 구하시오.

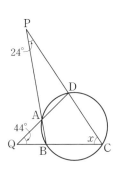

18 오른쪽 그림에서 △ABC≡△ADE이고 ∠BAD=54°이다. 네 점 A, B, D, E가 한 원 위에 있을 때, ∠ACB의 크기를 구하시오.

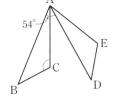

16 다음 그림과 같이 반지름의 길이가 각각 2 cm인 두 원 O, P가 두 점 Q, R에서 만난다. 점 Q를 지나는 직선이 두 원 O, P와 만나는 점을 각각 A, D라 하고 점 R를 지나는 직선이 두 원 O, P와 만나는 점을 각각 B, C라 할 때, $\overarc{QRB}+\overarc{QRC}$의 길이를 구하시오.

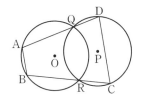

19 오른쪽 그림과 같이 △ABC의 세 꼭짓점에서 그 대변에 내린 수선의 발을 각각 D, E, F라 하고, 세 수선의 교점을 H라 하자. 점 A, B, C, D, E, F, H 중 네 점을 선택하여 사각형을 만들 때, 원에 내접하는 사각형을 모두 구하시오.

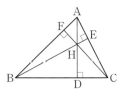

03 원주각의 활용 (2)

20 오른쪽 그림과 같이 $\overline{AB}$, $\overline{AC}$를 각각 지름으로 하는 두 반원에서 $\overline{BQ}$는 작은 반원의 접선이고 점 P는 그 접점이다. ∠PCB=125°일 때, ∠APQ+∠CBP의 크기를 구하시오.

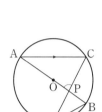

21 오른쪽 그림에서 $\overleftrightarrow{TT'}$은 $\overline{AB}$를 지름으로 하는 원 O의 접선이고 점 D는 그 접점이다. $\overline{AC} /\!/ \overleftrightarrow{TT'}$이고 ∠BDT'=28°일 때, ∠APC의 크기를 구하시오.

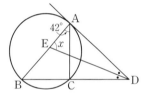

22 오른쪽 그림과 같이 원에 내접하는 △ABC에서 $\overline{BC}$의 연장선과 원 위의 점 A를 지나는 접선의 교점을 D라 하고, ∠ADB의 이등분선과 $\overline{AB}$의 교점을 E라 하자. ∠BAC=42°일 때, ∠x의 크기를 구하시오.

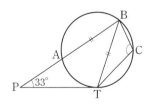

중요
23 오른쪽 그림에서 $\overline{PT}$는 원의 접선이고 점 T는 그 접점이다. $\overline{AB}=\overline{BT}$이고 ∠APT=33°일 때, ∠BCT의 크기를 구하시오.

24 오른쪽 그림에서 $\overleftrightarrow{PQ}$는 원 O의 접선이고 점 C는 그 접점이다. $\overline{BC}=6$ cm, ∠BCQ=60°일 때, 원 O의 넓이를 구하시오.

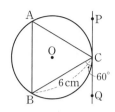

25 오른쪽 그림과 같이 $\overline{AC}$를 지름으로 하는 원 O에서 $\overleftrightarrow{BT}$는 원 O의 접선이고 점 B는 그 접점이다. 점 A에서 $\overleftrightarrow{BT}$에 내린 수선의 발을 H라 하면 $\overline{AC}=6$, $\overline{AH}=4$일 때, $\overline{BC}$의 길이를 구하시오.

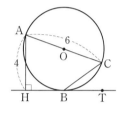

26 오른쪽 그림에서 $\overleftrightarrow{PQ}$는 점 T에서 두 원과 접하고, 큰 원의 현 AB는 점 C에서 작은 원과 접한다. ∠TAB=45°, ∠TBA=65°일 때, ∠ATC의 크기를 구하시오.

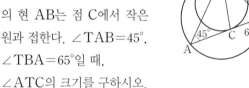

27 오른쪽 그림과 같이 원 모양의 시계가 11시 30분을 나타내고 있을 때, 시침과 분침의 연장선이 원과 만나는 점을 각각 A, B라 하자. 원 위의 한 점 P에 대하여 ∠APB의 크기를 구하시오.

(단, 시계 테두리의 두께는 생각하지 않는다.)

28 오른쪽 그림은 가로, 세로의 길이가 각각 60 m, 40 m인 직사각형 모양의 관람석과 무대로 이루어진 공연장의 좌석 배치도이다. 무대의 한 변 AB의 길이는 20 m이고 관람석 내의 한 점 P에 대하여 ∠APB≥45°인 영역을 스탠딩 구역으로 정할 때, 스탠딩 구역의 넓이를 구하시오.

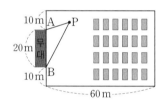

29 오른쪽 그림은 어느 유적지에서 발견된 원 모양의 접시의 깨진 조각을 나타낸 것이다. $\overline{AB} \perp \overline{CH}$이고 $\overline{AC}=12$ cm, $\overline{BC}=10$ cm, $\overline{CH}=8$ cm일 때, 원래 이 접시의 지름의 길이를 구하시오.

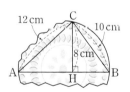

01 오른쪽 그림의 원 O에서 점 P는 $\overline{AB}$, $\overline{CD}$의 연장선의 교점이고 점 Q는 $\overline{AD}$, $\overline{BC}$의 교점이다. $\angle BPD=50°$, $\angle BOD=130°$일 때, $\angle x+\angle y$의 크기를 구하시오.

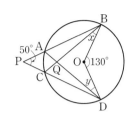

02 오른쪽 그림과 같이 □ABCD는 원 O에 내접하고 $\overline{BD}$는 원 O의 지름이다. $\overline{BC}=\overline{CD}$이고 $\overline{AB}=6\,cm$, $\overline{AD}=8\,cm$일 때, $\overline{AC}$의 길이를 구하시오.

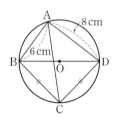

TOP
03 오른쪽 그림의 원 O에서 $\widehat{AB}+\widehat{CD}=\widehat{BC}+\widehat{AD}$이고 $\overline{AB}=16$, $\overline{CD}=12$일 때, 색칠한 부분의 넓이를 구하시오.

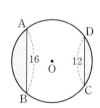

04 오른쪽 그림과 같이 반지름의 길이가 $9\,cm$인 원에서 두 현 AB, CD의 연장선의 교점을 P라 하자. $\widehat{AB}=4\pi\,cm$, $\widehat{CD}=6\pi\,cm$이고 $\angle APC=40°$일 때, $\widehat{AC}$의 길이를 구하시오.

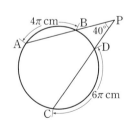

05

오른쪽 그림에서 $\overline{OA}=\overline{OB}$인 △AOB와 $\overline{OC}=\overline{OD}$인 △COD는 서로 닮은 도형이다. ∠AOB=∠COD=30°, ∠BOC=50°일 때, ∠APD의 크기를 구하시오.

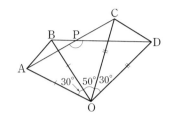

06

오른쪽 그림과 같이 원 O′은 원 O와 점 P에서 접하고, 원 O의 지름 AB와 점 Q에서 접한다. ∠ABP=20°일 때, ∠AQP의 크기를 구하시오.

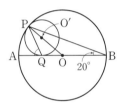

07

오른쪽 그림과 같이 $\overline{BC}$를 지름으로 하는 반원 위의 점 A에 대하여 $\overline{AB}$, $\overline{AC}$는 원 O의 접선이고 두 점 D, C는 그 접점이다. 원 O와 $\overline{BC}$의 교점을 E라 하고 $\overline{BC}=6\,cm$, ∠EDC=120°일 때, △ABC의 넓이를 구하시오.

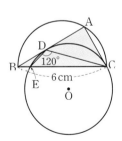

4 서술형 완성하기

모든 문제는 풀이 과정을 자세히 서술한 후 답을 쓰세요.

1 오른쪽 그림에서 △ABC는 반지름의 길이가 12인 원 O에 내접하고 점 P는 $\overline{AB}$와 $\overline{OC}$의 교점이다. $\angle ACO=50°$, $\angle APO=80°$일 때, 색칠한 부분의 넓이를 구하시오.

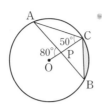

풀이 과정

답

2 오른쪽 그림과 같이 $\overarc{AC}$, $\overarc{BC}$의 중점을 각각 D, E라 하고, 현 DE가 두 현 AC, BC와 만나는 점을 각각 M, N이라 하자. $\angle ACB=40°$일 때, $\angle CNM$의 크기를 구하시오.

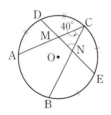

풀이 과정

답

3 오른쪽 그림과 같이 □ABCD는 원에 내접하고 $\overarc{AE}=\overarc{DE}$, $\angle EBC=82°$일 때, $\angle EFD$의 크기를 구하시오.

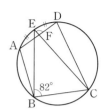

풀이 과정

답

4 오른쪽 그림에서 $\overarc{ABC}$의 길이는 원의 둘레의 길이의 $\frac{1}{4}$이고, $\overarc{BCD}$의 길이는 원의 둘레의 길이의 $\frac{2}{5}$일 때, $\angle ABC+\angle DCE$의 크기를 구하시오.

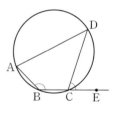

풀이 과정

답

5 오른쪽 그림과 같이 $\overline{AB}=\overline{AC}$인 이등변삼각형 ABC가 원에 내접한다. 점 C에서 ∠BCD=95°가 되도록 현 CD를 긋고 그 연장선 위에 $\overline{BD}=\overline{CE}$가 되도록 점 E를 정할 때, ∠CAE의 크기를 구하시오.

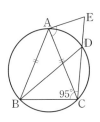

풀이 과정

답

6 오른쪽 그림에서 $\overleftrightarrow{AB}$는 두 원 O, O′의 공통인 접선이고 두 점 A, B는 그 접점이다. 두 점 P, Q는 두 원 O, O′의 교점이고 ∠PAQ=42°, ∠PBQ=50°일 때, ∠APB의 크기를 구하시오.

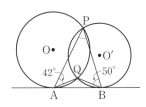

풀이 과정

답

7 오른쪽 그림과 같이 원 O에 내접하는 ABC가 있다. 두 꼭짓점 A, C에서 $\overline{BC}$, $\overline{AB}$에 내린 수선의 발을 각각 D, E라 하고 $\overline{AD}$와 $\overline{CE}$의 교점을 F, $\overline{BO}$의 연장선이 원 O와 만나는 점을 G, 원의 중심 O에서 $\overline{BC}$에 내린 수선의 발을 H라 하면 $\overline{AF}=8\,\mathrm{cm}$일 때, 다음 물음에 답하시오.

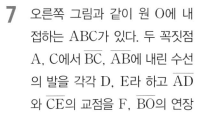
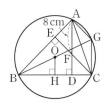

(1) □AFCG는 어떤 사각형인지 말하시오.
(2) $\overline{OH}$의 길이를 구하시오.

풀이 과정

(1)

(2)

답 (1)   (2)

8 오른쪽 그림에서 두 원 O, O′이 점 C에서 서로 접한다. 원 O의 현 AB의 연장선과 원 O′의 접점을 E라 하고, $\overline{CE}$의 연장선과 원 O의 교점을 D, $\overline{AC}$의 연장선과 원 O′의 교점을 F라 하자. $\overline{AD}/\!/\overline{BC}$이고 ∠CFE=34°일 때, ∠FET의 크기를 구하시오.

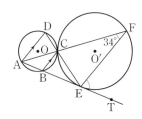

풀이 과정

답

5

대푯값과 산포도

● 정답과 해설 37쪽

01 대푯값

개념 활용하기

1 대푯값

자료 전체의 중심 경향이나 특징을 대표적으로 나타내는 값

2 대푯값의 종류 ┌→ 자료를 수량으로 나타낸 것

(1) 평균: 자료의 변량의 총합을 변량의 개수로 나눈 값

➡ $(평균) = \dfrac{(변량의 총합)}{(변량의 개수)}$

(2) 중앙값: 자료의 변량을 작은 값부터 크기순으로 나열할 때, 한가운데 있는 값

① 변량의 개수가 홀수이면 ➡ 한가운데 있는 하나의 값

② 변량의 개수가 짝수이면 ➡ 한가운데 있는 두 값의 평균

예 ・ 1, 3, 4, 6, 6 ➡ 중앙값: 4

・ 2, 3, 3, 5, 7, 9, 10, 11 ➡ 중앙값: $\dfrac{5+7}{2}=6$

(3) 최빈값: 자료의 변량 중에서 가장 많이 나타난 값 ← 수량이 아닌 자료에서도 구할 수 있다.

참고 최빈값은 자료에 따라 2개 이상일 수도 있다.

예 ・ 5, 7, 4, 6, 8, 9, 6 ➡ 최빈값: 6

・ 12, 10, 15, 13, 12, 10 ➡ 최빈값: 10, 12

■ 적절한 대푯값 찾기

(1) 평균: 대푯값으로 가장 많이 쓰이며, 자료에 극단적인 값이 있으면 그 값에 영향을 받으므로 대푯값으로 적절하지 않다.

(2) 중앙값: 자료에 극단적인 값이 있는 경우, 중앙값이 평균보다 대푯값으로 더 적절하다.

(3) 최빈값: 선호도를 조사할 때 주로 쓰이며, 변량이 중복되어 나타나는 자료나 숫자로 나타낼 수 없는 자료의 대푯값으로 적절하다.

대표 문제

1 4개의 변량 a, b, c, d의 평균이 12일 때, 6개의 변량 7, a, b, c, d, 11의 평균을 구하시오.

2 오른쪽 줄기와 잎 그림은 가현이네 반 학생 12명의 1분 동안의 윗몸 일으키기 횟수를 조사하여 그린 것이다. 이 자료의 평균, 중앙값, 최빈값을 각각 구하시오.

윗몸 일으키기 횟수

(0|3은 3회)

줄기	잎
0	3 3
1	1 2 9
2	3 4 7
3	0 1 3 6

3 다음 자료는 어느 날 8개 도시의 하루 동안의 강수량을 조사한 것이다. 이 자료의 평균이 1.2 mm일 때, 중앙값을 구하시오.

(단위: mm)

1.4, 1.8, 0.6, 1.5, x, 0.5, 0.8, 2

4 다음 자료는 어떤 영화에 대해 평론가 7명이 매긴 평점을 조사한 것이다. 이 자료의 평균과 최빈값이 같을 때, x의 값을 구하시오.

(단위: 점)

8, 6, 10, x, 8, 9, 8

5 다음 자료 중 평균을 대푯값으로 사용하기에 적절하지 않은 것은?

① 3, 3, 4, 4, 5, 5

② 8, 8, 8, 8, 8

③ 1, 5, 2, 8, 800

④ 40, 50, 60, 70, 80

⑤ 700, 800, 800, 700, 800

02 산포도

1 산포도
자료의 변량이 흩어져 있는 정도를 하나의 수로 나타낸 값

2 편차
각 변량에서 평균을 뺀 값 ➡ (편차)=(변량)−(평균)
(1) 편차의 총합은 항상 0이다.
(2) 변량이 평균보다 크면 그 편차는 양수이고,
　　변량이 평균보다 작으면 그 편차는 음수이다.
　주의 편차는 주어진 자료와 같은 단위를 쓴다.

3 산포도의 종류
(1) 분산: 편차의 제곱의 평균 ➡ $(\text{분산}) = \dfrac{\{(\text{편차})^2 \text{의 총합}\}}{(\text{변량의 개수})}$

(2) 표준편차: 분산의 음이 아닌 제곱근 ➡ $(\text{표준편차}) = \sqrt{(\text{분산})}$
　주의 표준편차는 주어진 자료와 같은 단위를 쓰고, 분산은 단위를 쓰지 않는다.
　참고 분산 또는 표준편차가 작을수록 ➡ 변량들이 평균 가까이에 모여 있다.
　　　　　　　　　　　　　　➡ 자료의 분포 상태가 고르다.

개념 활용하기

■ 두 집단 전체의 분산과 표준편차

평균이 같은 A, B 두 집단의 변량의 개수와 표준편차가 다음 표와 같을 때

집단	A	B
변량의 개수	a	b
표준편차	x	y

(1) (두 집단 전체의 분산)

$= \dfrac{\{(\text{편차})^2 \text{의 총합}\}}{(\text{변량의 총개수})}$

$= \dfrac{ax^2 + by^2}{a+b}$

(2) (두 집단 전체의 표준편차)

$= \sqrt{\dfrac{ax^2 + by^2}{a+b}}$

대표 문제

6 다음 보기 중 옳은 것을 모두 고르시오.

┌─ 보기 ─
ㄱ. 평균보다 큰 변량의 편차는 항상 양수이다.
ㄴ. 편차가 0인 변량은 평균과 같다.
ㄷ. 편차의 절댓값이 클수록 그 변량은 평균에 가까이 있다.
ㄹ. 표준편차는 분산의 제곱근이다.
ㅁ. 산포도가 작을수록 자료는 고르게 분포되어 있다.

7 다음 표는 학생 5명의 키의 편차를 나타낸 것이다. 키의 평균이 168 cm일 때, 민재의 키를 구하시오.

학생	선우	승환	민재	은지	정현
편차(cm)	−5	6	x	9	−8

8 다음 자료는 어느 반 학생 6명이 한 학기 동안 읽은 책의 수를 조사한 것이다. 이 자료의 평균이 9권일 때, 분산을 구하시오.

(단위: 권)

5, 12, x, 8, 9, 11

9 오른쪽 표는 어느 중학교 3학년 남학생과 여학생의 학생 수와 수면 시간의 평균과 표준편차를 나타낸 것이다. 이때 3학년 전체 학생의 수면 시간의 표준편차를 구하시오.

	남학생	여학생
학생 수(명)	90	110
평균(시간)	7	7
표준편차(시간)	4	2

10 아래 표는 재경이네 학교 3학년 7개 반의 한문 성적의 평균과 표준편차를 나타낸 것이다. 다음 중 이 자료에 대한 설명으로 옳은 것은?

반	1	2	3	4	5	6	7
평균(점)	71	82	83	77	85	75	83
표준편차(점)	9.8	3.1	4.6	5.4	10.2	6.7	7.8

① 3반과 7반의 학생 수는 같다.
② 한문 성적이 가장 고른 반은 2반이다.
③ 4반은 6반보다 한문 성적의 산포도가 더 크다.
④ 한문 성적이 가장 우수한 반은 1반이다.
⑤ 한문 성적의 (편차)²의 총합이 가장 큰 반은 5반이다.

01 대푯값

중요

1 어느 도시의 전체 인구의 평균 나이가 38세라고 한다. 이 도시의 남자들의 평균 나이는 40세이고, 여자들의 평균 나이는 35세일 때, 남자와 여자의 인구수의 비를 가장 간단한 자연수의 비로 나타내시오.

2 길이가 a cm, 12 cm, 16 cm, b cm인 4개의 끈으로 각각 정사각형을 만들었다. 이 끈 4개의 길이의 평균이 12 cm이고 4개의 정사각형의 넓이의 평균이 9.5 cm²일 때, ab의 값을 구하시오.

중요

3 수현이네 반 학생 40명의 몸무게의 평균은 52 kg이었다. 그런데 몸무게의 차가 4 kg인 두 학생이 전학을 가고 난 후 나머지 38명의 몸무게의 평균이 51 kg이 되었다. 이때 전학을 간 두 학생의 몸무게를 각각 구하시오.

4 학생 8명이 1분 동안 시행한 턱걸이 개수의 평균을 구하려고 하는데 14개를 기록한 한 학생의 턱걸이 개수를 잘못 보아 평균이 실제보다 0.75개 높아졌다. 이때 턱걸이 개수를 몇 개로 잘못 보았는지 구하시오.

교과서 속 심화

5 오른쪽 꺾은선그래프는 유리네 반 남학생과 여학생의 한 달 동안의 봉사 활동 시간을 조사하여 함께 나타낸 것이다. 다음 보기 중 옳은 것을 모두 고른 것은?

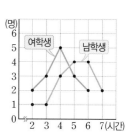

| 보기 |

ㄱ. 남학생과 여학생의 봉사 활동 시간의 평균은 서로 같다.

ㄴ. 봉사 활동 시간의 중앙값은 남학생이 여학생보다 크다.

ㄷ. 남학생과 여학생의 봉사 활동 시간의 최빈값은 각각 한 개이다.

① ㄱ   ② ㄴ   ③ ㄱ, ㄴ

④ ㄴ, ㄷ   ⑤ ㄱ, ㄴ, ㄷ

6 10개의 변량 8, 10, 12, 13, 13, 13, 13, 15, 17, 20에 한 개의 변량을 추가할 때, 다음 보기 중 옳은 것을 모두 고르시오.

| 보기 |

ㄱ. 이 자료의 평균은 변하지 않는다.

ㄴ. 이 자료의 중앙값은 변하지 않는다.

ㄷ. 이 자료의 최빈값은 변하지 않는다.

7 지은이네 동아리 회원 8명의 키의 중앙값은 163 cm이고, 4번째로 키가 작은 회원의 키는 160 cm이다. 이 동아리에 키가 168 cm인 신입 회원 한 명이 가입했을 때, 회원 9명의 키의 중앙값은?

① 163 cm   ② 164 cm   ③ 165 cm
④ 166 cm   ⑤ 167 cm

8 중요 다음 줄기와 잎 그림은 수영 강습반 회원의 나이를 조사하여 그린 것이다. 이 자료의 중앙값이 최빈값보다 2세만큼 작을 때, $a+b$의 값을 구하시오.

(단, $2 \leq a \leq b \leq 5$이고 최빈값은 한 개이다.)

회원의 나이

(0|9는 9세)

줄기	잎
0	9
1	1 4 8
2	0 1 2 a b 5 5
3	3 6 6 7

9 다음 자료의 중앙값은 7, 최빈값은 8일 때, $a+b+c$의 값을 구하시오.

$$a, \quad b, \quad c, \quad 5, \quad 4, \quad 8, \quad 5, \quad 10$$

10 다음 두 자료 A, B에 대하여 자료 A의 중앙값이 17이고, 두 자료 A, B를 섞은 전체 자료의 중앙값이 18일 때, 두 자연수 a, b의 순서쌍 (a, b)를 모두 구하시오.

자료 A: 11, 14, a, b, 21
자료 B: 16, $b-1$, 21, 22, a

11 다음 조건을 모두 만족시키는 7개의 자연수 중 가장 작은 수를 x라 할 때, x의 최솟값을 구하시오.

조건
(가) 평균은 41이다.   (나) 중앙값은 40이다.
(다) 최빈값은 35이다.   (라) 가장 큰 수는 50이다.

12 중요 다음 중 대푯값의 이용이 적절하지 <u>않은</u> 것을 모두 고르면? (정답 2개)

① 어느 반끼리의 전체적인 국어 실력을 비교할 때는 평균을 이용하여 비교한다.

② 어느 반에서 학급 회장을 뽑기 위해 선거를 할 때는 중앙값을 이용하여 뽑는다.

③ 어느 학교 학생들이 가장 많이 사용하는 휴대 전화의 기종은 최빈값을 이용하여 알아본다.

④ 어느 가게에서 다음 달에 판매할 과자를 준비할 때, 가장 많이 주문해 놓아야 할 과자의 종류는 최빈값을 이용하여 파악한다.

⑤ 어느 반 학생들은 대부분 하루에 100~200개의 문자 메시지를 보내지만 학생 1명은 2000개를 보낼 때, 이 반 학생들이 하루에 보내는 문자 메시지 수의 중심 경향은 평균을 이용하여 알아본다.

02 산포도

13 다음 표는 5개의 변량 A, B, C, D, E의 편차를 나타낸 것이다. 이 자료의 평균이 50일 때, 변량 A의 값이 될 수 있는 수를 모두 구하시오.

변량	A	B	C	D	E
편차	$2x^2-2$	$2x+3$	-2	$-x^2-7$	$-x+2$

14 다음 표는 어느 버스 정류장을 지나는 5개의 버스 노선 A, B, C, D, E의 배차 간격의 편차를 나타낸 것이다. 이 자료의 표준편차를 구하시오.

버스 노선	A	B	C	D	E
편차(분)	2	$x-2$	$-x$	-1	$2x+7$

^{중요}
15 다음 자료의 평균과 중앙값이 7로 같을 때, 이 자료의 표준편차를 구하시오. (단, $a>b$)

$$a, \quad 4, \quad 7, \quad 10, \quad b, \quad 8, \quad 5, \quad 6$$

16 연속하는 5개의 홀수의 분산은?

① $2\sqrt{2}$ ② 4   ③ $4\sqrt{2}$

④ 6   ⑤ 8

17 다음 표는 어느 농장에서 생산된 5개의 달걀 A, B, C, D, E의 무게에서 달걀 D의 무게를 각각 뺀 값을 나타낸 것이다. 이때 달걀 5개의 무게의 분산을 구하시오.

달걀	A	B	C	D	E
{(각 무게)−(D의 무게)}(g)	13	-6	-3	0	-9

18 승우가 5일 동안 팔 굽혀 펴기를 하는데 매일 a회씩 일정하게 기록을 늘렸다고 한다. 최고 기록과 최저 기록의 차가 12회일 때, 5일 동안의 팔 굽혀 펴기 횟수의 표준편차는?

① 3회   ② $3\sqrt{2}$회   ③ 6회

④ $3\sqrt{6}$회   ⑤ $3\sqrt{10}$회

19 다음 표는 학생 5명의 일 년 동안의 영화 관람 횟수의 편차를 나타낸 것이다. 이 자료의 표준편차가 $\sqrt{6}$회일 때, xy의 값을 구하시오.

학생	석진	윤기	남준	호석	태형
편차(회)	-3	x	y	0	1

교과서 속 심화
20 오른쪽 그림과 같이 세 모서리의 길이가 각각 a, b, c인 직육면체에서 12개의 모서리의 길이의 평균이 4이고 표준편차가 $\sqrt{5}$일 때, $a^2+b^2+c^2$의 값을 구하시오.

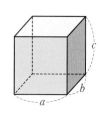

중요

21 지민이네 모둠 학생 10명이 1분 동안의 줄넘기 횟수를 기록한 결과 평균이 75회, 분산이 12이었다. 그런데 나중에 학생들이 각자 자신의 기록을 확인해 보니 줄넘기 횟수가 75회, 72회인 두 학생의 횟수가 각각 70회, 77회로 잘못 기록되어 있었다. 학생 10명의 실제 줄넘기 횟수의 표준편차를 구하시오.

22 2020개의 변량 x_1, x_2, x_3, ⋯, x_{2020}의 총합이 4040이고 각 변량의 제곱의 총합이 12120일 때, 이 변량들의 표준편차를 구하시오.

23 소정이의 5개 과목의 시험 성적의 평균은 70점, 표준편차는 4점이었고, 희영이의 5개 과목의 시험 성적은 소정이보다 모두 10점씩 높았다. 이때 희영이의 시험 성적의 평균과 표준편차의 합은?

① 76점   ② 80점   ③ 84점

④ 88점   ⑤ 92점

24 다음 두 자료 A, B에 대하여 자료 A의 평균을 m, 분산을 s^2이라 할 때, 자료 B의 평균과 분산을 m, s^2을 사용하여 차례로 나타내시오.

> 자료 A: 1부터 50까지의 자연수
>
> 자료 B: 2부터 100까지의 짝수

중요

25 아래 막대그래프는 재석, 효리, 지훈이의 하루 춤 연습 시간을 한 달 동안 조사하여 각각 나타낸 것이다. 다음 보기 중 옳은 것을 모두 고르시오.

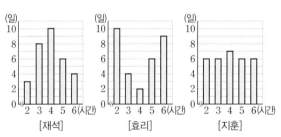

[재석]   [효리]   [지훈]

> **보기**
>
> ㄱ. 춤 연습 시간의 최빈값이 가장 작은 사람은 효리이다.
>
> ㄴ. 한 달 동안 춤 연습을 가장 많이 한 사람은 재석이다.
>
> ㄷ. 지훈이의 춤 연습 시간이 가장 고르다.
>
> ㄹ. 춤 연습 시간의 기복이 가장 심한 사람은 효리이다.
>
> ㅁ. 재석이의 춤 연습 시간의 표준편차가 가장 크다.

26 다음 그림과 같이 넓이가 각각 5, 6, 7, 12인 직사각형 모양의 종이 A, B, C, D에서 종이 D를 두 조각으로 잘라 다섯 장의 종이를 만들려고 한다. 이 다섯 장의 종이의 넓이의 표준편차가 최소가 되게 하려고 할 때, 종이 D를 잘라서 만든 두 조각의 넓이를 각각 구하시오.

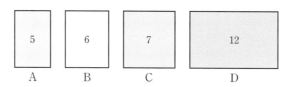

27 회원 수가 각각 180명, 120명인 A, B 두 인터넷 동호회가 하나의 동호회로 통합되었다. 통합 동호회에서 전체 회원들이 남긴 댓글 수의 평균이 a개, 표준편차가 b개일 때, 지금까지 남긴 댓글 수에 따라 오른쪽 표와 같이 회원 등급을 새롭게 정한다고 한다. A, B 두 동호회에서 회원들이 남긴 댓글 수의 평균은 67개로 서로 같고 표준편차

등급	댓글 수(개)
최우수 회원	$a+2b^{이상}$
우수 회원	$a+b^{이상} \sim a+2b^{미만}$
성실 회원	$a-b^{이상} \sim a+b^{미만}$
일반 회원	$a-2b^{이상} \sim a-b^{미만}$
신입 회원	$a-2b^{미만}$

는 각각 $3\sqrt{2}$개, $\sqrt{13}$개일 때, 이전 동호회에서 남긴 댓글 수가 69개인 회원의 통합 동호회에서의 등급을 구하시오.

28 다음 표는 지후가 내일 하루 동안 먹을 아침, 점심, 저녁 식사와 오전, 오후 간식의 열량을 나타낸 것이고, 오른쪽 막대그래프는 지후가 즐겨 먹는 5가지 간식의 개당 열량을 조사하여 나타낸 것이다.

	아침	오전 간식	점심	오후 간식	저녁
열량(kcal)	660		650		790

지후는 청소년 1일 권장 열량인 2700 kcal에 맞추어 오전, 오후 간식 시간에 각각 5가지 간식 중 한 개씩을 먹으려고 한다. 이때 지후가 아침, 점심, 저녁 식사와 오전, 오후 간식으로 섭취하는 열량을 최대한 고르게 하기 위해 선택해야 하는 간식 두 가지를 구하시오.

01 서로 다른 10개의 변량 중 가장 큰 변량을 제외한 9개의 변량의 평균은 30이고, 가장 작은 변량을 제외한 9개의 변량의 평균은 35이다. 가장 큰 변량과 가장 작은 변량의 합이 55일 때, 서로 다른 10개의 변량의 평균을 구하시오.

TOP
02 다음 자료에서 x의 값에 따른 중앙값을 y라 할 때, $y=f(x)$에 대하여
$f(1)+f(2)+f(3)+\cdots+f(30)$의 값을 구하시오.

> 12, x, 4, 5, 24, 18, 2, 6, 13

03 한 변의 길이가 각각 x_1, x_2, $\cdots$, x_{10}인 10개의 정사각형을 서로 겹치지 않게 빈틈없이 이어 붙여 큰 정사각형을 만들려고 한다. x_1, x_2, $\cdots$, x_{10}의 평균이 11이고 표준편차가 $\sqrt{39}$일 때, 큰 정사각형의 한 변의 길이를 구하시오.

04 어느 공장의 각 생산 라인에서 하루 동안 제조하는 제품의 수의 평균은 180개, 표준편차는 3개이다. 어느 날 주문량이 많아져서 각 생산 라인에서는 하루 동안 제조하는 제품의 수를 x배 한 후 y개를 더한 만큼의 제품을 제조하게 되었다. 주문량이 많아진 후 각 생산 라인에서 하루 동안 제조하는 제품의 수의 평균은 400개, 표준편차는 6개일 때, 평소에 하루 동안 200개를 제조하던 생산 라인에서 주문량이 많아진 후 제조하는 제품의 수를 구하시오. (단, $x>0$)

6 상관관계

01 산점도

1 **산점도**: 두 변량 사이의 관계를 알기 위해 두 변량 x, y의 순서쌍 (x, y)를 좌표평면 위에 나타낸 그림

2 **산점도의 분석**: 주어진 조건에 따라 다음과 같이 기준이 되는 보조선을 긋는다.

(1) 이상 또는 이하에 대한 조건이 주어질 때 ➡ 가로선 또는 세로선 긋기

x는 a 이상/이하이다.	y는 b 이상/이하이다.
$x \le a$ $x \ge a$	$y \ge b$ $y \le b$

> 참고 이상 또는 이하: 기준선 위의 점을 포함한다.
> 초과 또는 미만: 기준선 위의 점을 포함하지 않는다.

(2) 두 변량을 비교할 때 ➡ 대각선 긋기

x와 y가 같다.	x가 y보다 크다.	x가 y보다 작다.
$x = y$	$x > y$	$x < y$

개념 활용하기

■ **두 변량의 합, 차에 대한 조건이 주어진 경우**

다음과 같이 기준이 되는 보조선을 긋는다.

(1) 합이 $2a$ 이상이다.

(2) 차가 a 이상이다.

대표 문제

1 오른쪽 그림은 어느 컴퓨터 자격시험에 응시한 학생 20명의 필기 점수와 실기 점수에 대한 산점도이다. 다음 중 옳지 <u>않은</u> 것은?

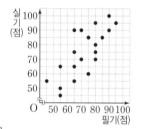

① 필기 점수가 70점 이상인 학생은 12명이다.

② 실기 점수가 60점 미만인 학생은 4명이다.

③ 필기 점수가 60점 이상 80점 미만인 학생은 8명이다.

④ 필기 점수와 실기 점수가 모두 90점 이상인 학생은 4명이다.

⑤ 필기 점수와 실기 점수가 같은 학생은 6명이다.

2 오른쪽 그림은 혜리네 모둠 학생 10명의 키와 몸무게에 대한 산점도이다. 키가 160 cm 이상인 학생들의 몸무게의 평균을 구하시오.

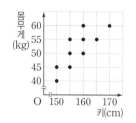

3 오른쪽 그림은 지호네 반 학생 20명의 하루 동안의 TV 시청 시간과 학습 시간에 대한 산점도이다. TV 시청 시간이 학습 시간보다 적은 학생은 전체의 몇 % 인지 구하시오.

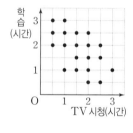

4 오른쪽 그림은 어느 잡지사에서 평가한 음식점 15곳의 청결도 평점과 맛 평점에 대한 산점도이다. 두 평점의 합이 8점 이상인 음식점의 수를 구하시오.

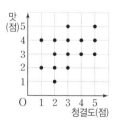

02 상관관계

두 변량 x, y에 대하여 x의 값이 변함에 따라 y의 값이 변하는 경향이 있을 때, 이 두 변량 x, y 사이의 관계를 상관관계라 한다.

(1) **양의 상관관계**: x의 값이 증가함에 따라 y의 값도 대체로 증가하는 경향이 있는 관계

(2) **음의 상관관계**: x의 값이 증가함에 따라 y의 값이 대체로 감소하는 경향이 있는 관계

(3) **상관관계가 없다.**: x의 값이 증가함에 따라 y의 값이 증가하는지 감소하는지 분명하지 않은 경우

■ **산점도와 상관관계의 이해**

다음 산점도에서

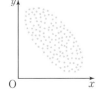

(1) A는 x의 값에 비해 y의 값이 크다.

(2) B는 x의 값에 비해 y의 값이 작다.

양의 상관관계	음의 상관관계	상관관계가 없다.
〈강한 경우〉 〈약한 경우〉	〈강한 경우〉 〈약한 경우〉	

참고 두 변량 사이에 양 또는 음의 상관관계가 있는 산점도에서

점들이 한 직선 가까이에 모여 있을수록 ➡ 상관관계가 강하다.

점들이 한 직선에서 멀리 흩어져 있을수록 ➡ 상관관계가 약하다.

대표 문제

5 다음 중 보기의 산점도에 대한 설명으로 옳지 <u>않은</u> 것을 모두 고르면? (정답 2개)

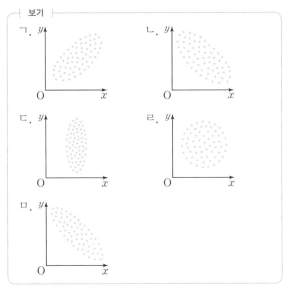

보기

ㄱ. ㄴ. ㄷ. ㄹ. ㅁ.

① ㄱ의 두 변량 사이에는 양의 상관관계가 있다.

② 두 변량 사이의 상관관계는 ㄴ보다 ㅁ이 더 강하다.

③ 상관관계가 없는 산점도는 ㄹ뿐이다.

④ 책의 두께와 무게에 대한 산점도의 모양은 ㄱ과 같다.

⑤ 겨울철 기온과 난방비에 대한 산점도의 모양은 ㄷ과 같다.

6 다음 중 두 변량에 대한 산점도를 그렸을 때, 대체로 오른쪽 그림과 같은 모양이 되는 것을 모두 고르면? (정답 2개)

① 예금액과 이자

② 물고기 어획량과 가격

③ 지능 지수와 머리카락의 길이

④ 계산대에 대기하고 있는 사람 수와 대기 시간

⑤ 서울 시내 자동차 수와 평균 주행 속도

7 오른쪽 그림은 어느 중학교 학생들의 키와 발의 크기에 대한 산점도이다. 다음 중 옳지 <u>않은</u> 것은?

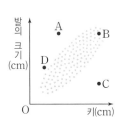

① 키가 클수록 발의 크기도 대체로 큰 편이다.

② A는 키에 비해 발의 크기가 큰 편이다.

③ B는 D보다 키는 크지만 발의 크기는 작다.

④ A와 B는 발의 크기가 비슷하고, B와 C는 키가 비슷하다.

⑤ A, B, C, D 중에서 키에 비해 발의 크기가 가장 작은 사람은 C이다.

01 산점도

중요

1 오른쪽 그림은 도연이네 반 학생 20명의 작년과 올해 관람한 영화 편수에 대한 산점도이다. 다음 보기 중 옳은 것을 모두 고르시오.

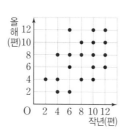

┤ 보기 ├

ㄱ. 작년에 관람한 영화 편수의 최빈값과 올해 관람한 영화 편수의 최빈값은 서로 같다.

ㄴ. 작년에 관람한 영화 편수의 중앙값과 올해 관람한 영화 편수의 중앙값은 서로 같다.

ㄷ. 작년보다 올해 더 많은 영화를 관람한 학생들의 올해 관람한 영화 편수의 평균은 9편이다.

[2~4] 오른쪽 그림은 어느 중학교 육상부 학생 20명의 작년과 올해 100 m 달리기 기록에 대한 산점도이다. 다음 물음에 답하시오.

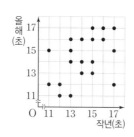

2 작년 기록이 올해 기록보다 좋은 학생 수를 a명, 올해 기록이 작년 기록보다 좋은 학생 수를 b명이라 할 때, $a : b$를 가장 간단한 자연수의 비로 나타내시오.

중요

3 작년 기록과 올해 기록의 평균이 13초 이하인 학생 수를 구하시오.

4 작년 기록을 x초, 올해 기록을 y초라 할 때, $|x-y|$의 최댓값은?

① 2 ② 3 ③ 4
④ 5 ⑤ 6

[5~6] 오른쪽 그림은 장훈이네 반 학생 20명이 두 차례에 걸쳐 자유투를 10개씩 던졌을 때, 1차, 2차에 각각 성공한 자유투 개수에 대한 산점도이다. 다음 물음에 답하시오.

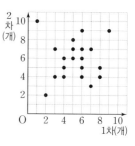

중요

5 1차와 2차 중 적어도 한 번은 성공한 자유투 개수가 8개 이상인 학생 수는?

① 5명 ② 6명 ③ 7명
④ 8명 ⑤ 9명

교과서 속 심화

6 1차와 2차에 성공한 자유투 개수의 차가 3개 이상인 학생은 전체의 몇 %인지 구하시오.

7 오른쪽 그림은 현준이네 반 학생 20명의 1학기와 2학기의 과학 성적에 대한 산점도이다. 1학기에 비해 2학기 과학 성적이 가장 많이 향상된 학생은 a점이 향상되었고, 과학 성적이 20점 이상 떨어진 학생은 전체의 b%일 때, $a+b$의 값을 구하시오.

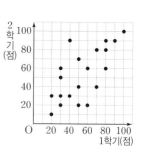

8 오른쪽 그림은 나은이네 반 학생 30명의 중간고사와 기말고사의 수학 성적에 대한 산점도이다. 중간고사와 기말고사 수학 성적의 합이 상위 20 %

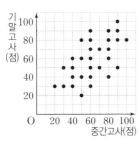

이내에 드는 학생들을 뽑아 수학 경시대회에 출전시킨다고 할 때, 수학 경시대회에 출전하는 학생들의 중간고사와 기말고사 수학 성적의 합의 평균을 구하시오.

02 상관관계

중요

9 아래 그림은 두 가게 A, B의 여름철 평균 기온과 휴대용 선풍기 판매량에 대한 산점도이다. 다음 설명 중 옳은 것은?

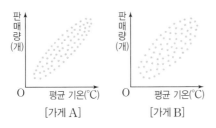

① 여름철 평균 기온이 높아질수록 휴대용 선풍기 판매량은 대체로 줄어든다.

② 여름철 평균 기온과 휴대용 선풍기 판매량 사이에는 상관관계가 없다.

③ 가게 A가 가게 B보다 휴대용 선풍기 판매량이 더 많다.

④ 가게 A에서는 여름철 평균 기온과 휴대용 선풍기 판매량 사이에 음의 상관관계가 있다.

⑤ 가게 B가 가게 A보다 여름철 평균 기온과 휴대용 선풍기 판매량 사이에 더 약한 상관관계를 보인다.

교과서 속 심화

10 다음은 가뭄에 대한 내용이다. 밑줄 친 부분과 가뭄 일수 사이의 상관관계가 나머지 넷과 다른 하나는?

> 가뭄은 물 공급이 부족한 시기를 일컫는 말로, 일반적으로 평균 이하의 ① 강수량이 지속적으로 보이는 지역에서 나타난다. 가뭄이 계속되면 ② 농작물의 생산량이 감소하고, 이는 농작물의 가격 상승을 초래한다. 또 가뭄이 지속되면 산불 발생 위험이 높아져 ③ 산불 발생 건수가 증가하고, ④ 강물의 수위 하강 및 ⑤ 지하수의 양 부족 등을 일으킨다. 그뿐만 아니라 야생동물이나 어종의 감소 등 생태계에 큰 위협이 되기도 한다.

11 오른쪽 그림은 수민이네 반 학생들의 좌우 시력에 대한 산점도이다. A, B, C, D, E 중에서 좌우 시력의 차이가 가장 큰 학생은?

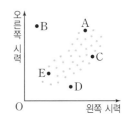

① A   ② B   ③ C

④ D   ⑤ E

12 오른쪽 그림은 어느 회사 직원들의 지난달 생활비와 저축액에 대한 산점도이다. 다음 보기 중 옳은 것을 모두 고르시오.

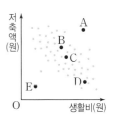

┌ 보기 ┐

ㄱ. 생활비와 저축액 사이에는 양의 상관관계가 있다.

ㄴ. A는 B보다 생활비와 저축액의 평균이 크다.

ㄷ. D는 생활비의 지출이 큰데도 저축을 많이 하는 편이다.

ㄹ. C와 E의 생활비의 평균은 B의 생활비보다 작다.

13 체질량 지수란 키와 몸무게를 이용하여 지방의 양을 추정하는 비만 측정법으로 몸무게를 키의 제곱으로 나눈 값이다. 오른쪽 그림은 정민이네 반 학생 24명의 일주일 동안의 운동 시간과 체질량 지수에 대한 산점도이다. 체질량 지수에 따른 비만 정도가 다음 표와 같을 때, 정민이네 반에서 '정상 체중'에 해당하는 학생들의 운동 시간의 평균과 '비만'에 해당하는 학생들의 운동 시간의 평균을 차례로 구하시오.

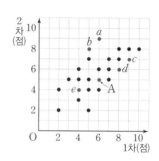

체질량 지수	비만 정도
18.5 미만	저체중
18.5 이상 25 미만	정상 체중
25 이상 30 미만	과체중
30 이상	비만

14 오른쪽 그림은 학생 20명의 두 번에 걸친 음악 실기 평가 점수에 대한 산점도이다. 두 번의 실기 평가 점수의 평균이 5점을 초과하는 학생들의 2차 점수의 평균이 7점이 되기 위해서는 점 A를 a, b, c, d, e 중 어느 위치로 이동해야 하는지 구하시오.

15 인구 밀도란 일정한 지역 내에 거주하는 인구의 과밀한 정도를 나타내는 수치로, 보통 (인구 밀도)$=\dfrac{(도시의\ 인구수)}{(도시의\ 넓이)}$로 나타낸다. 오른쪽 그림은 우리나라 도시의 넓이와 그 도시의 인구수에 대한 산점도이다. 이때 4개의 도시 A, B, C, D를 인구 밀도가 작은 것부터 차례로 나열하시오.

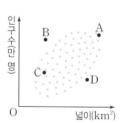

01

오른쪽 그림은 어느 회사의 입사 지원자 25명의 필기시험 점수와 면접 점수에 대한 산점도이다. 다음 조건을 모두 만족시키는 지원자들의 필기시험 점수의 분산을 구하시오.

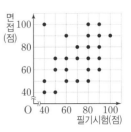

조건

㈎ 면접 점수가 90점 이하이다.

㈏ 면접 점수가 필기시험 점수보다 높다.

㈐ 필기시험 점수와 면접 점수의 평균이 70점 이상이다.

02

오른쪽 그림은 슬기네 반 학생 25명의 1학기와 2학기의 국어 성적에 대한 산점도이다. 두 학기 국어 성적의 총점이 상위 24 % 이내에 드는 학생의 그룹을 A, 하위 24 % 이내에 드는 학생의 그룹을 B라 할 때, A, B 두 그룹 중에서 두 학기 국어 성적의 총점의 분포 상태가 더 고른 그룹을 말하시오.

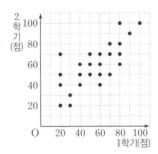

TOP
03

오른쪽 그림은 읽기와 듣기를 각각 10점 만점으로 하는 영어 능력 시험에서 학생 20명이 받은 읽기 점수와 듣기 점수에 대한 산점도인데 일부분이 찢어져 보이지 않는다. 읽기 점수가 듣기 점수보다 높은 학생들의 읽기 점수의 평균이 5점, 듣기 점수의 평균이 3점일 때, 찢어진 부분의 자료로 가능한 것은 모두 몇 가지인지 구하시오. (단, 점수는 1점 단위이고 중복된 점은 없다.)

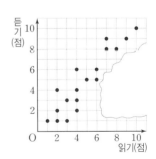

5~6 서술형 완성하기

모든 문제는 풀이 과정을 자세히 서술한 후 답을 쓰세요.

1 다음 자료의 평균이 5.3이고 두 변량 a, b가 $3a=4b$를 만족시킬 때, 이 자료의 중앙값과 최빈값을 각각 구하시오.

> 8, a, 1, 0, -6, b, 8, -3, 6, 11

풀이 과정

답

2 다음 두 자료 A, B에 대하여 자료 A의 중앙값이 11일 때, 두 자료 A, B를 섞은 전체 자료의 중앙값을 구하시오. (단, a는 자연수)

> 자료 A: 9, $a+4$, 15, 10, 8, 17
> 자료 B: 8, $2a$, 19, $a-2$, 15, 14

풀이 과정

답

3 어느 야구 동호회의 회원 10명이 대표 선수 선발전에 참가하여 각각 10개의 공을 쳐 안타를 친 개수를 조사하였다. 첫날에는 7명이 참가하여 공을 친 결과 안타를 친 개수의 평균이 5개, 분산이 6이었다. 다음 날에는 첫날에 빠진 3명이 참가하였고 안타를 친 개수는 각각 2개, 8개, 5개이었다. 이때 회원 10명이 안타를 친 개수의 표준편차를 구하시오.

풀이 과정

답

4 한 모서리의 길이가 각각 a, b, c인 정육면체 모양의 세 주사위가 있다. 이 세 주사위의 모든 모서리의 길이의 총합은 72이고 겉넓이의 총합은 126일 때, 모서리의 길이 a, b, c의 표준편차를 구하시오.

풀이 과정

답

5 오른쪽 그림은 어느 공개 오디션 프로그램에서 본선 진출자 20명의 심사위원 점수와 관객 점수에 대한 산점도이다. 다음 물음에 답하시오.

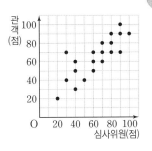

(1) 심사위원 점수와 관객 점수의 합이 150점 이상인 참가자를 합격시킨다고 할 때, 합격률은 몇 %인지 구하시오.

(2) 심사위원 점수와 관객 점수 사이의 상관관계를 말하시오.

> 풀이 과정
>
> (1)
>
>
> (2)
>
>
> 답 (1)　　　　　　(2)

6 오른쪽 그림은 서진이네 반 학생 25명의 두 번에 걸친 쪽지 시험 점수에 대한 산점도이다. 1차 점수를 a점, 2차 점수를 b점이라 할 때, $0 \leq a-b \leq 2$를 만족시키는 학생은 전체의 몇 %인지 구하시오.

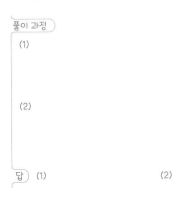

> 풀이 과정
>
>
> 답

7 다음 표는 성수가 6회에 걸쳐 받은 미술 수행 평가 점수를 나타낸 것인데 일부분이 찢어져 보이지 않는다. 미술 수행 평가 점수의 평균이 9점, 표준편차가 2점이고 3회 점수가 4회 점수보다 높을 때, 3회, 4회의 점수를 차례로 구하시오.

회	1	2	3	4	5	6
점수(점)	7	10			9	10

> 풀이 과정
>
>
> 답

8 오른쪽 그림은 윤아네 반 학생 20명의 수학 성적과 영어 성적에 대한 산점도이다. 두 과목의 총점이 상위 5등인 학생보다 영어 성적이 높은 학생들의 수학 성적의 평균을 구하시오. (단, 1등이 두 명이면 그 다음 등수를 3등으로 생각한다.)

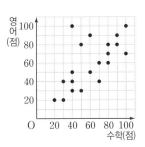

> 풀이 과정
>
>
> 답

삼각비의 표

각도	사인(sin)	코사인(cos)	탄젠트(tan)	각도	사인(sin)	코사인(cos)	탄젠트(tan)
0°	0.0000	1.0000	0.0000	45°	0.7071	0.7071	1.0000
1°	0.0175	0.9998	0.0175	46°	0.7193	0.6947	1.0355
2°	0.0349	0.9994	0.0349	47°	0.7314	0.6820	1.0724
3°	0.0523	0.9986	0.0524	48°	0.7431	0.6691	1.1106
4°	0.0698	0.9976	0.0699	49°	0.7547	0.6561	1.1504
5°	0.0872	0.9962	0.0875	50°	0.7660	0.6428	1.1918
6°	0.1045	0.9945	0.1051	51°	0.7771	0.6293	1.2349
7°	0.1219	0.9925	0.1228	52°	0.7880	0.6157	1.2799
8°	0.1392	0.9903	0.1405	53°	0.7986	0.6018	1.3270
9°	0.1564	0.9877	0.1584	54°	0.8090	0.5878	1.3764
10°	0.1736	0.9848	0.1763	55°	0.8192	0.5736	1.4281
11°	0.1908	0.9816	0.1944	56°	0.8290	0.5592	1.4826
12°	0.2079	0.9781	0.2126	57°	0.8387	0.5446	1.5399
13°	0.2250	0.9744	0.2309	58°	0.8480	0.5299	1.6003
14°	0.2419	0.9703	0.2493	59°	0.8572	0.5150	1.6643
15°	0.2588	0.9659	0.2679	60°	0.8660	0.5000	1.7321
16°	0.2756	0.9613	0.2867	61°	0.8746	0.4848	1.8040
17°	0.2924	0.9563	0.3057	62°	0.8829	0.4695	1.8807
18°	0.3090	0.9511	0.3249	63°	0.8910	0.4540	1.9626
19°	0.3256	0.9455	0.3443	64°	0.8988	0.4384	2.0503
20°	0.3420	0.9397	0.3640	65°	0.9063	0.4226	2.1445
21°	0.3584	0.9336	0.3839	66°	0.9135	0.4067	2.2460
22°	0.3746	0.9272	0.4040	67°	0.9205	0.3907	2.3559
23°	0.3907	0.9205	0.4245	68°	0.9272	0.3746	2.4751
24°	0.4067	0.9135	0.4452	69°	0.9336	0.3584	2.6051
25°	0.4226	0.9063	0.4663	70°	0.9397	0.3420	2.7475
26°	0.4384	0.8988	0.4877	71°	0.9455	0.3256	2.9042
27°	0.4540	0.8910	0.5095	72°	0.9511	0.3090	3.0777
28°	0.4695	0.8829	0.5317	73°	0.9563	0.2924	3.2709
29°	0.4848	0.8746	0.5543	74°	0.9613	0.2756	3.4874
30°	0.5000	0.8660	0.5774	75°	0.9659	0.2588	3.7321
31°	0.5150	0.8572	0.6009	76°	0.9703	0.2419	4.0108
32°	0.5299	0.8480	0.6249	77°	0.9744	0.2250	4.3315
33°	0.5446	0.8387	0.6494	78°	0.9781	0.2079	4.7046
34°	0.5592	0.8290	0.6745	79°	0.9816	0.1908	5.1446
35°	0.5736	0.8192	0.7002	80°	0.9848	0.1736	5.6713
36°	0.5878	0.8090	0.7265	81°	0.9877	0.1564	6.3138
37°	0.6018	0.7986	0.7536	82°	0.9903	0.1392	7.1154
38°	0.6157	0.7880	0.7813	83°	0.9925	0.1219	8.1443
39°	0.6293	0.7771	0.8098	84°	0.9945	0.1045	9.5144
40°	0.6428	0.7660	0.8391	85°	0.9962	0.0872	11.4301
41°	0.6561	0.7547	0.8693	86°	0.9976	0.0698	14.3007
42°	0.6691	0.7431	0.9004	87°	0.9986	0.0523	19.0811
43°	0.6820	0.7314	0.9325	88°	0.9994	0.0349	28.6363
44°	0.6947	0.7193	0.9657	89°	0.9998	0.0175	57.2900
45°	0.7071	0.7071	1.0000	90°	1.0000	0.0000	—

개념+유형

최고수준 **TOP**

정답과 해설

중등 **수학**

3·2

1. 삼각비

1 ④ 2 $\dfrac{2}{3}$ 3 $6\sqrt{2}$ 4 $\dfrac{27}{20}$ 5 $\dfrac{\sqrt{6}}{3}$

6 $\dfrac{5\sqrt{13}}{13}$ 7 $\dfrac{3}{4}$ 8 $60°$ 9 $\dfrac{\sqrt{3}}{4}$ 10 $6\sqrt{6}$

11 (1) $2-\sqrt{3}$ (2) $2+\sqrt{3}$ 12 $y=\sqrt{3}x+3\sqrt{3}$

13 ⑤ 14 1.59 15 $\dfrac{3\sqrt{3}}{2}$

16 $\cos 55°$, $\sin 45°$, $\sin 75°$, $\cos 0°$, $\tan 65°$

17 7.986

---

1 $\overline{AB}=\sqrt{17^2-15^2}=8$

① $\sin A=\dfrac{15}{17}$ ② $\cos A=\dfrac{8}{17}$

③ $\tan A=\dfrac{15}{8}$ ⑤ $\cos C=\dfrac{15}{17}$

따라서 옳은 것은 ④이다.

2 $\tan A=\dfrac{\overline{BC}}{6}=\dfrac{\sqrt{5}}{2}$ $\therefore \overline{BC}=3\sqrt{5}$

$\overline{AC}=\sqrt{6^2+(3\sqrt{5})^2}=9$

$\therefore \sin C=\dfrac{\overline{AB}}{\overline{AC}}=\dfrac{6}{9}=\dfrac{2}{3}$

3 $3\cos A-2\sqrt{2}=0$에서

$\cos A=\dfrac{2\sqrt{2}}{3}$이므로 오른쪽 그림과
같은 직각삼각형 ABC를 생각할 수
있다.

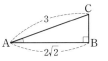

$\overline{BC}=\sqrt{3^2-(2\sqrt{2})^2}=1$이므로

$\sin A=\dfrac{1}{3}$, $\tan C=\dfrac{2\sqrt{2}}{1}=2\sqrt{2}$

$\therefore \tan C \div \sin A=2\sqrt{2}\times 3=6\sqrt{2}$

4 $\triangle ABC \backsim \triangle HBA$ (AA 닮음)
이므로 $\angle ACB=\angle HAB=x$
$\triangle ABC \backsim \triangle HAC$ (AA 닮음)
이므로 $\angle ABC=\angle HAC=y$

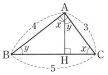

$\triangle ABC$에서
$\overline{AC}=\sqrt{5^2-4^2}=3$이므로

$\cos x=\dfrac{\overline{AC}}{\overline{BC}}=\dfrac{3}{5}$, $\tan y=\dfrac{\overline{AC}}{\overline{AB}}=\dfrac{3}{4}$

$\therefore \cos x+\tan y=\dfrac{3}{5}+\dfrac{3}{4}$

$=\dfrac{27}{20}$

5 $\triangle EFG$에서 $\overline{EG}=\sqrt{6^2+6^2}=6\sqrt{2}$(cm)

$\triangle CEG$는 $\angle CGE=90°$인 직각삼각형이므로

$\overline{CE}=\sqrt{(6\sqrt{2})^2+6^2}=6\sqrt{3}$(cm)

$\therefore \cos x=\dfrac{\overline{EG}}{\overline{CE}}=\dfrac{6\sqrt{2}}{6\sqrt{3}}=\dfrac{\sqrt{6}}{3}$

[참고] 오른쪽 그림과 같이 세 모서리의
길이가 각각 a, b, c인 직육면체에서 대각
선의 길이를 l이라 하면

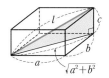

$\Rightarrow l=\sqrt{a^2+b^2+c^2}$

6 $\dfrac{x}{4}-\dfrac{y}{6}=1$에 $y=0$, $x=0$을 각각 대입하면

$A(4, 0)$, $B(0, -6)$ $\therefore \overline{OA}=4$, $\overline{OB}=6$

$\triangle AOB$에서 $\overline{AB}=\sqrt{4^2+6^2}=2\sqrt{13}$이므로

$\sin a=\dfrac{6}{2\sqrt{13}}=\dfrac{3\sqrt{13}}{13}$, $\cos a=\dfrac{4}{2\sqrt{13}}=\dfrac{2\sqrt{13}}{13}$

$\therefore \sin a+\cos a=\dfrac{3\sqrt{13}}{13}+\dfrac{2\sqrt{13}}{13}=\dfrac{5\sqrt{13}}{13}$

7 $\sqrt{3}\tan 30°-(\sin 30°+\cos 45°)(\sin 45°-\cos 60°)$

$=\sqrt{3}\times\dfrac{\sqrt{3}}{3}-\left(\dfrac{1}{2}+\dfrac{\sqrt{2}}{2}\right)\times\left(\dfrac{\sqrt{2}}{2}-\dfrac{1}{2}\right)$

$=1-\dfrac{(\sqrt{2}+1)(\sqrt{2}-1)}{4}$

$=1-\dfrac{(\sqrt{2})^2-1^2}{4}=1-\dfrac{1}{4}=\dfrac{3}{4}$

8 $4x^2-4x+1=0$에서 $(2x-1)^2=0$ $\therefore x=\dfrac{1}{2}$

따라서 $\cos A=\dfrac{1}{2}$이고 $0°<A<90°$이므로

$A=60°$

9 $7.5°<x<52.5°$에서 $15°<2x<105°$

$\therefore 0°<2x-15°<90°$

이때 $\tan(2x-15°)=1$이므로

$2x-15°=45°$, $2x=60°$ $\therefore x=30°$

$\therefore \sin x\times\cos x=\sin 30°\times\cos 30°$

$=\dfrac{1}{2}\times\dfrac{\sqrt{3}}{2}=\dfrac{\sqrt{3}}{4}$

10 $\triangle ABH$에서

$\sin 60°=\dfrac{\overline{AH}}{12}=\dfrac{\sqrt{3}}{2}$ $\therefore \overline{AH}=6\sqrt{3}$

$\triangle AHC$에서

$\sin 45°=\dfrac{6\sqrt{3}}{\overline{AC}}=\dfrac{\sqrt{2}}{2}$ $\therefore \overline{AC}=6\sqrt{6}$

11 (1) △ABD는 $\overline{AD}=\overline{BD}$인

이등변삼각형이므로

$\angle ABD = \angle BAD$

$\qquad = \dfrac{1}{2}\angle ADC = \dfrac{1}{2}\times 30° = 15°$

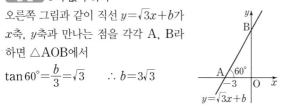

△ADC에서

$\sin 30° = \dfrac{6}{\overline{AD}} = \dfrac{1}{2}$　　$\therefore \overline{AD}=12$

$\tan 30° = \dfrac{6}{\overline{CD}} = \dfrac{\sqrt{3}}{3}$　　$\therefore \overline{CD}=6\sqrt{3}$

$\overline{BD}=\overline{AD}=12$이므로 $\overline{BC}=12+6\sqrt{3}$

따라서 △ABC에서

$\tan 15° = \dfrac{\overline{AC}}{\overline{BC}} = \dfrac{6}{12+6\sqrt{3}} = 2-\sqrt{3}$

(2) △ABC에서

$\angle BAC = 180° - (15°+90°) = 75°$이므로

$\tan 75° = \dfrac{\overline{BC}}{\overline{AC}} = \dfrac{12+6\sqrt{3}}{6} = 2+\sqrt{3}$

12 구하는 직선의 방정식을 $y=ax+b$로 놓으면

$a = (직선의 기울기) = \tan 60° = \sqrt{3}$

이때 직선 $y=\sqrt{3}x+b$가 점 $(-3, 0)$을 지나므로

$0=-3\sqrt{3}+b$　　$\therefore b=3\sqrt{3}$

$\therefore y=\sqrt{3}x+3\sqrt{3}$

다른 풀이 b의 값 구하기

오른쪽 그림과 같이 직선 $y=\sqrt{3}x+b$가

x축, y축과 만나는 점을 각각 A, B라

하면 △AOB에서

$\tan 60° = \dfrac{b}{3} = \sqrt{3}$　　$\therefore b=3\sqrt{3}$

13 ⑤ $\overline{BC} /\!/ \overline{DE}$이므로 $c=b$ (동위각)

$\therefore \sin c = \sin b = \dfrac{\overline{AB}}{\overline{AC}} = \dfrac{\overline{AB}}{1} = \overline{AB}$

14 △COD에서 $\tan 39° = \dfrac{\overline{CD}}{\overline{OD}} = \dfrac{0.81}{1} = 0.81$

△AOB에서 $\angle OAB = 180° - (90°+39°) = 51°$

$\therefore \sin 51° = \dfrac{\overline{OB}}{\overline{OA}} = \dfrac{0.78}{1} = 0.78$

$\therefore \tan 39° + \sin 51° = 0.81+0.78 = 1.59$

15 $\sin 90° \times \cos 30° - \tan 0° \times \sin 45° + \dfrac{\cos 0°}{\tan 30°}$

$= 1\times\dfrac{\sqrt{3}}{2} - 0\times\dfrac{\sqrt{2}}{2} + 1\div\dfrac{\sqrt{3}}{3}$

$= \dfrac{\sqrt{3}}{2} - 0 + 1\times\dfrac{3}{\sqrt{3}}$

$= \dfrac{\sqrt{3}}{2} + \sqrt{3}$

$= \dfrac{3\sqrt{3}}{2}$

16 $\cos 0° = 1$, $\sin 45° = \dfrac{\sqrt{2}}{2}$

$\cos 55° < \cos 45° = \sin 45°$

$\tan 65° > \tan 45° = 1$

$\sin 45° < \sin 75° < \sin 90° = 1$

$\therefore \cos 55° < \sin 45° < \sin 75° < \cos 0° < \tan 65°$

따라서 작은 것부터 차례로 나열하면

$\cos 55°$, $\sin 45°$, $\sin 75°$, $\cos 0°$, $\tan 65°$

17 $\angle C = 180° - (53°+90°) = 37°$이므로

$\cos 37° = \dfrac{\overline{BC}}{10} = 0.7986$　　$\therefore \overline{BC} = 7.986$

P. 11~15 내신 5% 따라잡기

1 ②	**2** $\dfrac{119}{12}$	**3** $\dfrac{4+\sqrt{7}}{3}$	**4** $\dfrac{\sqrt{7}}{11}$　**5** $\dfrac{4\sqrt{13}}{39}$
6 $\dfrac{\sqrt{2}}{2}$	**7** ④	**8** $\dfrac{3\sqrt{5}}{5}$	**9** $\dfrac{2\sqrt{2}}{3}$　**10** $-\dfrac{3}{2}$
11 $12\sqrt{3}-18$		**12** $36\pi-30\sqrt{3}$	**13** ③
14 $\sqrt{6}-\sqrt{2}$		**15** $\sqrt{6}+\sqrt{2}$	**16** $\sqrt{2}+1$
17 $\dfrac{128}{9}$	**18** $y=\dfrac{2}{3}x+2\sqrt{13}$	**19** $15°$	**20** $\dfrac{1}{4}$
21 0	**22** ㄱ, ㄹ, ㄷ, ㅂ, ㄴ, ㅁ		**23** $\dfrac{24}{25}$
24 ⑤	**25** $\sqrt{2}-1$		**26** $18\sqrt{3}\pi$ cm
27 $54°$			

1 점 M이 빗변 BC의 중점이므로 점 M은 △ABC의 외심이다.

즉, $\overline{MA}=\overline{MB}=\overline{MC}$이므로 △MAB는 이등변삼각형이다.

$\therefore \angle MBA = \angle MAB = x$

△ABC에서 $\overline{AC} = \sqrt{20^2-16^2} = 12$

$\therefore \tan x = \dfrac{\overline{AC}}{\overline{AB}} = \dfrac{12}{16} = \dfrac{3}{4}$

2 △ABC에서 $\overline{AC} = \sqrt{13^2-12^2} = 5$이므로

$\sin x = \dfrac{\overline{AC}}{\overline{AB}} = \dfrac{5}{13}$

이때 $\sin x = \cos y$이므로

△ADC에서 $\cos y = \dfrac{\overline{CD}}{\overline{AD}} = \dfrac{5}{13}$

즉, $\overline{AD}=13k$, $\overline{CD}=5k\,(k>0)$라 하면

$\overline{AC} = \sqrt{(13k)^2-(5k)^2} = 12k = 5$　　$\therefore k=\dfrac{5}{12}$

따라서 $\overline{CD} = 5k = 5\times\dfrac{5}{12} = \dfrac{25}{12}$이므로

$\overline{BD} = \overline{BC}-\overline{CD} = 12-\dfrac{25}{12} = \dfrac{119}{12}$

3 $\angle APQ = \angle CPQ = x$(접은 각),
$\angle PQC = \angle APQ = x$(엇각)
이므로 $\triangle PQC$는 $\overline{CP} = \overline{CQ}$인
이등변삼각형이다.

$\overline{CQ} = \overline{CP} = \overline{AP} = 4$ cm,
$\overline{CR} = \overline{AB} = 3$ cm이므로
$\triangle QRC$에서
$\overline{QR} = \sqrt{4^2 - 3^2} = \sqrt{7}$ (cm)
점 Q에서 $\overline{AD}$에 내린 수선의 발을 H라 하면
$\overline{AH} = \overline{BQ} = \overline{QR} = \sqrt{7}$ cm이므로 $\overline{HP} = (4 - \sqrt{7})$ cm
따라서 $\triangle HQP$에서
$\tan x = \dfrac{\overline{HQ}}{\overline{HP}} = \dfrac{3}{4 - \sqrt{7}} = \dfrac{4 + \sqrt{7}}{3}$

4 $\triangle ABC$에서
$\sin x = \dfrac{9}{\overline{AC}} = \dfrac{3}{4}$ $\therefore \overline{AC} = 12$
$\triangle ABC$와 $\triangle EDC$에서
$\angle B = \angle D = 90°$, $\angle ACB = \angle ECD$(맞꼭지각)이므로
$\triangle ABC \backsim \triangle EDC$(AA 닮음)
즉, $\overline{AC} : \overline{EC} = \overline{BC} : \overline{DC}$이므로
$12 : 6 = 9 : \overline{DC}$ $\therefore \overline{DC} = \dfrac{9}{2}$
$\triangle EDC$에서
$\overline{ED} = \sqrt{6^2 - \left(\dfrac{9}{2}\right)^2} = \dfrac{3\sqrt{7}}{2}$
따라서 $\overline{AD} = 12 + \dfrac{9}{2} = \dfrac{33}{2}$이므로
$\triangle EAD$에서
$\tan y = \dfrac{\overline{ED}}{\overline{AD}} = \dfrac{3\sqrt{7}}{2} \div \dfrac{33}{2} = \dfrac{3\sqrt{7}}{2} \times \dfrac{2}{33} = \dfrac{\sqrt{7}}{11}$

5 $0° < A < 90°$이므로 오른쪽 그림과 같은
직각삼각형 ABC를 생각할 수 있다.

$\sin A : \cos A = 2 : 3$이므로
$\dfrac{a}{b} : \dfrac{c}{b} = 2 : 3$ $\therefore a : c = 2 : 3$
$a = 2$, $c = 3$이라 하면
$b = \sqrt{2^2 + 3^2} = \sqrt{13}$이므로
$\sin A = \dfrac{2}{\sqrt{13}} = \dfrac{2\sqrt{13}}{13}$, $\tan A = \dfrac{2}{3}$
$\therefore \sin A \times \tan A = \dfrac{2\sqrt{13}}{13} \times \dfrac{2}{3} = \dfrac{4\sqrt{13}}{39}$

6 $3x^2 - 7x + 2 = 0$에서 $(3x - 1)(x - 2) = 0$
$\therefore x = \dfrac{1}{3}$ 또는 $x = 2$
이때 $0° < \alpha < \beta < 90°$이므로 $\tan \alpha < \tan \beta$
$\therefore \tan \alpha = \dfrac{1}{3}$, $\tan \beta = 2$

$0° < \alpha < 90°$이고 $\tan \alpha = \dfrac{1}{3}$이므로
오른쪽 그림과 같은 직각삼각형
ABC를 생각할 수 있다.

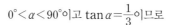

$\overline{AC} = \sqrt{3^2 + 1^2} = \sqrt{10}$이므로
$\sin \alpha = \dfrac{1}{\sqrt{10}} = \dfrac{\sqrt{10}}{10}$
$0° < \beta < 90°$이고 $\tan \beta = 2$이므로 오른쪽 그림
과 같은 직각삼각형 DEF를 생각할 수 있다.

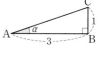

$\overline{DF} = \sqrt{1^2 + 2^2} = \sqrt{5}$이므로
$\cos \beta = \dfrac{1}{\sqrt{5}} = \dfrac{\sqrt{5}}{5}$
$\therefore \dfrac{\sin \alpha}{\cos \beta} = \dfrac{\sqrt{10}}{10} \div \dfrac{\sqrt{5}}{5} = \dfrac{\sqrt{10}}{10} \times \dfrac{5}{\sqrt{5}} = \dfrac{\sqrt{2}}{2}$

7 $\angle ACB = x$,
$\angle ABC = y$라 하면
$\triangle ABC \backsim \triangle FEC$
(AA 닮음)이므로

$\angle FEC = \angle ABC = y$
$\triangle FEC \backsim \triangle EDC$(AA 닮음)이므로
$\angle EDC = \angle FEC = y$
$\triangle EDC \backsim \triangle FDE$(AA 닮음)이므로
$\angle DEF = \angle DCE = x$
① $\triangle ABC$에서 $\dfrac{\overline{AB}}{\overline{AC}} = \tan x$
② $\triangle FEC$에서 $\dfrac{\overline{EF}}{\overline{CF}} = \tan x$
③ $\triangle EDC$에서 $\dfrac{\overline{DE}}{\overline{CE}} = \tan x$
④ $\triangle FDE$에서 $\dfrac{\overline{EF}}{\overline{DE}} = \cos x$
⑤ $\triangle FDE$에서 $\dfrac{\overline{DF}}{\overline{EF}} = \tan x$
따라서 그 값이 나머지 넷과 다른 하나는 ④이다.

8 $\triangle ABC$에서
$\overline{BC} = \sqrt{4^2 + 8^2} = 4\sqrt{5}$
$\triangle ABC \backsim \triangle EBD$(AA 닮음)
이므로

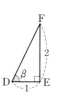

$\angle ACB = \angle EDB = x$
$\triangle ABC \backsim \triangle GFC$(AA 닮음)이므로
$\angle ABC = \angle GFC = y$
따라서 $\triangle ABC$에서
$\cos x = \dfrac{8}{4\sqrt{5}} = \dfrac{2\sqrt{5}}{5}$, $\cos y = \dfrac{4}{4\sqrt{5}} = \dfrac{\sqrt{5}}{5}$
$\therefore \cos x + \cos y = \dfrac{2\sqrt{5}}{5} + \dfrac{\sqrt{5}}{5}$
$= \dfrac{3\sqrt{5}}{5}$

9 $\overline{\text{DM}}$은 $\triangle$BCD의 중선이므로

$\overline{\text{BM}}=\dfrac{1}{2}\overline{\text{BC}}=\dfrac{1}{2}\times 6=3$

$\triangle$ABM에서 $\overline{\text{AM}}=\sqrt{6^2-3^2}=3\sqrt{3}$

점 H가 $\triangle$BCD의 무게중심이고

$\overline{\text{DM}}=\overline{\text{AM}}=3\sqrt{3}$이므로

$\overline{\text{MH}}=\dfrac{1}{3}\overline{\text{DM}}=\dfrac{1}{3}\times 3\sqrt{3}=\sqrt{3}$

$\triangle$AMH에서 $\overline{\text{AH}}=\sqrt{(3\sqrt{3})^2-(\sqrt{3})^2}=2\sqrt{6}$

$\therefore \sin x=\dfrac{\overline{\text{AH}}}{\overline{\text{AM}}}=\dfrac{2\sqrt{6}}{3\sqrt{3}}=\dfrac{2\sqrt{2}}{3}$

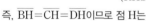

> **참고** 점 H가 $\triangle$BCD의 무게중심인 이유
>
>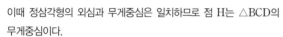
>
> $\triangle$ABH, $\triangle$ACH, $\triangle$ADH에서
>
> $\angle$AHB$=\angle$AHC$=\angle$AHD$=90°$,
>
> $\overline{\text{AH}}$는 공통, $\overline{\text{AB}}=\overline{\text{AC}}=\overline{\text{AD}}$
>
> $\therefore \triangle$ABH$\equiv\triangle$ACH$\equiv\triangle$ADH
>
> (RHS 합동)
>
> 즉, $\overline{\text{BH}}=\overline{\text{CH}}=\overline{\text{DH}}$이므로 점 H는
>
> $\triangle$BCD의 외심이다.
>
> 이때 정삼각형의 외심과 무게중심은 일치하므로 점 H는 $\triangle$BCD의
>
> 무게중심이다.

10 삼각형의 세 내각의 크기의 비가 $1:2:3$이므로

$A=180°\times\dfrac{2}{1+2+3}=60°$

$\therefore \left(\dfrac{1}{2}-\sin A\right)(1+\tan A)-\cos A$

$=\left(\dfrac{1}{2}-\sin 60°\right)(1+\tan 60°)-\cos 60°$

$=\left(\dfrac{1}{2}-\dfrac{\sqrt{3}}{2}\right)(1+\sqrt{3})-\dfrac{1}{2}$

$=\dfrac{1}{2}(1-\sqrt{3})(1+\sqrt{3})-\dfrac{1}{2}$

$=\dfrac{1}{2}\times(-2)-\dfrac{1}{2}=-1-\dfrac{1}{2}=-\dfrac{3}{2}$

11 $\square$DEFG가 정사각형이므로

$\overline{\text{DE}}=\overline{\text{EF}}=x$라 하면

$\overline{\text{BC}}=\overline{\text{AB}}=6$에서

$\overline{\text{BE}}=\overline{\text{CF}}=\dfrac{6-x}{2}$

$\angle$B$=60°$이므로

$\triangle$BED에서 $\tan 60°=x\div\dfrac{6-x}{2}=\sqrt{3}$

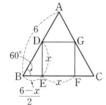

$x=\sqrt{3}\times\dfrac{6-x}{2}$, $2x=6\sqrt{3}-\sqrt{3}x$, $(2+\sqrt{3})x=6\sqrt{3}$

$\therefore x=\dfrac{6\sqrt{3}}{2+\sqrt{3}}=6\sqrt{3}(2-\sqrt{3})=12\sqrt{3}-18$

> **참고** $\overline{\text{BE}}=\overline{\text{CF}}$인 이유
>
> $\triangle$DBE와 $\triangle$GCF에서
>
> $\angle$DEB$=\angle$GFC$=90°$, $\overline{\text{DE}}=\overline{\text{GF}}$
>
> $\angle$BDE$=\angle$CGF$=180°-(90°+60°)=30°$이므로
>
> $\triangle$DBE$\equiv\triangle$GCF(ASA 합동) $\therefore \overline{\text{BE}}=\overline{\text{CF}}$

12 $\overset{\frown}{\text{AP}}=\overset{\frown}{\text{PQ}}=\overset{\frown}{\text{QB}}$이므로

$\angle$AOP$=\angle$POQ$=\angle$QOB$=\dfrac{1}{3}\times 90°=30°$

$\triangle$POR에서

$\sin 60°=\dfrac{\overline{\text{PR}}}{12}=\dfrac{\sqrt{3}}{2}$ $\therefore \overline{\text{PR}}=6\sqrt{3}$

$\cos 60°=\dfrac{\overline{\text{OR}}}{12}=\dfrac{1}{2}$ $\therefore \overline{\text{OR}}=6$

같은 방법으로

$\triangle$QOS에서 $\overline{\text{QS}}=6$, $\overline{\text{OS}}=6\sqrt{3}$

$\triangle$TOR에서

$\tan 30°=\dfrac{\overline{\text{TR}}}{6}=\dfrac{\sqrt{3}}{3}$ $\therefore \overline{\text{TR}}=2\sqrt{3}$

$\therefore$ (색칠한 부분의 넓이)

$=$ (사분원 AOB의 넓이)

$\quad-(\triangle$POR$+\triangle$QOS$-\triangle$TOR$)$

$=\dfrac{1}{4}\times\pi\times 12^2$

$\quad-\left(\dfrac{1}{2}\times 6\times 6\sqrt{3}+\dfrac{1}{2}\times 6\sqrt{3}\times 6-\dfrac{1}{2}\times 6\times 2\sqrt{3}\right)$

$=36\pi-30\sqrt{3}$

13 $\angle$AQP$=90°$이고

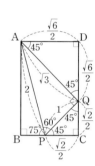

$\triangle$AQD에서 $\angle$AQD$=45°$이므로

$\angle$PQC$=180°-(45°+90°)=45°$

$\angle$APQ$=60°$이고

$\triangle$QPC에서 $\angle$QPC$=45°$이므로

$\angle$APB$=180°-(60°+45°)=75°$

$\triangle$APQ에서

$\sin 60°=\dfrac{\overline{\text{AQ}}}{2}=\dfrac{\sqrt{3}}{2}$ $\therefore \overline{\text{AQ}}=\sqrt{3}$

$\cos 60°=\dfrac{\overline{\text{PQ}}}{2}=\dfrac{1}{2}$ $\therefore \overline{\text{PQ}}=1$

$\triangle$AQD에서

$\cos 45°=\dfrac{\overline{\text{AD}}}{\sqrt{3}}=\dfrac{\sqrt{2}}{2}$ $\therefore \overline{\text{AD}}=\dfrac{\sqrt{6}}{2}$

$\triangle$AQD는 직각이등변삼각형이므로

$\overline{\text{DQ}}=\overline{\text{AD}}=\dfrac{\sqrt{6}}{2}$

$\triangle$QPC에서

$\cos 45°=\dfrac{\overline{\text{QC}}}{1}=\dfrac{\sqrt{2}}{2}$ $\therefore \overline{\text{QC}}=\dfrac{\sqrt{2}}{2}$

$\triangle$QPC는 직각이등변삼각형이므로

$\overline{\text{PC}}=\overline{\text{QC}}=\dfrac{\sqrt{2}}{2}$

따라서 $\triangle$ABP에서

$\tan 75°=\dfrac{\overline{\text{AB}}}{\overline{\text{BP}}}=\dfrac{\overline{\text{DQ}}+\overline{\text{QC}}}{\overline{\text{BC}}-\overline{\text{PC}}}$

$=\dfrac{\sqrt{6}+\sqrt{2}}{2}\div\dfrac{\sqrt{6}-\sqrt{2}}{2}$

$=\dfrac{\sqrt{6}+\sqrt{2}}{\sqrt{6}-\sqrt{2}}=2+\sqrt{3}$

14 $\triangle$ECF에서

$\tan 30° = \dfrac{2}{\overline{EC}} = \dfrac{\sqrt{3}}{3}$

$\therefore \overline{EC} = 2\sqrt{3}$

$\overline{BC} = \overline{BE}$이므로

$\angle BCE = \angle BEC = 45°$

$\triangle EBC$에서 $\sin 45° = \dfrac{\overline{BE}}{2\sqrt{3}} = \dfrac{\sqrt{2}}{2}$ $\therefore \overline{BE} = \sqrt{6}$

$\overline{AF} /\!/ \overline{BC}$이므로 $\angle FGC = \angle BCG = 45°$(엇각)

$\triangle GCF$에서 $\angle CFG = 180° - (90° + 45°) = 45°$

$\triangle CFD$에서 $\sin 45° = \dfrac{\overline{DC}}{2} = \dfrac{\sqrt{2}}{2}$ $\therefore \overline{DC} = \sqrt{2}$

이때 $\overline{AB} = \overline{DC} = \sqrt{2}$이므로

$\overline{AE} = \overline{EB} - \overline{AB} = \sqrt{6} - \sqrt{2}$

15 오른쪽 그림과 같이 두 점 A, D에서 $\overline{BE}$에 내린 수선의 발을 각각 H, G라 하자.

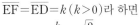

$\triangle ABC$가 정삼각형이므로

$\angle ABC = \angle ACB = 60°$

$\triangle ABH$에서 $\sin 60° = \dfrac{\overline{AH}}{2} = \dfrac{\sqrt{3}}{2}$ $\therefore \overline{AH} = \sqrt{3}$

$\angle DCG = 180° - (60° + 90°) = 30°$

$\overline{CD} = \overline{AC} = \overline{AB} = 2$이므로

$\triangle DCG$에서 $\sin 30° = \dfrac{\overline{DG}}{2} = \dfrac{1}{2}$ $\therefore \overline{DG} = 1$

$\angle DAC = 45°$이므로

$\triangle ACD$에서 $\cos 45° = \dfrac{2}{\overline{AD}} = \dfrac{\sqrt{2}}{2}$ $\therefore \overline{AD} = 2\sqrt{2}$

$\overline{DE} = x$라 하면 $\triangle EAH \backsim \triangle EDG$ (AA 닮음)이므로

$\overline{AE} : \overline{DE} = \overline{AH} : \overline{DG}$에서 $(2\sqrt{2} + x) : x = \sqrt{3} : 1$

$2\sqrt{2} + x = \sqrt{3}x$, $(\sqrt{3} - 1)x = 2\sqrt{2}$

$\therefore x = \dfrac{2\sqrt{2}}{\sqrt{3} - 1} = \sqrt{2}(\sqrt{3} + 1) = \sqrt{6} + \sqrt{2}$

16 $\angle FBD = \angle DBC$(접은 각), $\angle DBC = \angle FDB$(엇각)

즉, $\angle FBD = \angle FDB$이므로 $\triangle FBD$는 $\overline{FB} = \overline{FD}$인 이등변삼각형이다.

$\therefore \angle FDB = \angle FBD = \dfrac{1}{2}\angle EFD = \dfrac{1}{2} \times 45° = 22.5°$

또 $\angle BDE = \angle FDB + \angle EDF = 22.5° + 45° = 67.5°$

오른쪽 그림에서 $\triangle DEF$는 $\angle DEF = 90°$이고 $\overline{EF} = \overline{ED}$인 직각이등변삼각형이므로

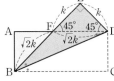

$\overline{EF} = \overline{ED} = k\,(k > 0)$라 하면

$\sin 45° = \dfrac{k}{\overline{FD}} = \dfrac{\sqrt{2}}{2}$

$\therefore \overline{FD} = \sqrt{2}k$ $\therefore \overline{FB} = \overline{FD} = \sqrt{2}k$

따라서 $\triangle BDE$에서

$\tan 67.5° = \dfrac{\overline{BE}}{\overline{DE}} = \dfrac{\sqrt{2}k + k}{k} = \dfrac{(\sqrt{2} + 1)k}{k} = \sqrt{2} + 1$

17 A_1에서 $0° < \angle AOB < 90°$이고

$\tan(\angle AOB) = \dfrac{3}{3\sqrt{3}} = \dfrac{\sqrt{3}}{3}$이므로 $\angle AOB = 30°$

즉, $\angle AOB = \angle BOC = \angle COD = \cdots = \angle GOH = 30°$

A_1에서 $\cos 30° = \dfrac{3\sqrt{3}}{\overline{OB}} = \dfrac{\sqrt{3}}{2}$

$\therefore \overline{OB} = 3\sqrt{3} \times \dfrac{2}{\sqrt{3}}$

A_2에서 $\cos 30° = \dfrac{\overline{OB}}{\overline{OC}} = \dfrac{\sqrt{3}}{2}$

$\therefore \overline{OC} = \overline{OB} \times \dfrac{2}{\sqrt{3}} = 3\sqrt{3} \times \left(\dfrac{2}{\sqrt{3}}\right)^2$

A_3에서 $\cos 30° = \dfrac{\overline{OC}}{\overline{OD}} = \dfrac{\sqrt{3}}{2}$

$\therefore \overline{OD} = \overline{OC} \times \dfrac{2}{\sqrt{3}} = 3\sqrt{3} \times \left(\dfrac{2}{\sqrt{3}}\right)^3$

$\vdots$

따라서 A_7에서

(빗변 $\overline{OH}$의 길이) $= 3\sqrt{3} \times \left(\dfrac{2}{\sqrt{3}}\right)^7 = 3\sqrt{3} \times \dfrac{128}{27\sqrt{3}} = \dfrac{128}{9}$

18 $\triangle AOH$에서 $\tan A = \dfrac{6}{\overline{AH}} = \dfrac{2}{3}$ $\therefore \overline{AH} = 9$

$\overline{AO} = \sqrt{9^2 + 6^2} = 3\sqrt{13}$

$\triangle AOB$에서 $\tan A = \dfrac{\overline{BO}}{3\sqrt{13}} = \dfrac{2}{3}$ $\therefore \overline{BO} = 2\sqrt{13}$

즉, 직선 l의 y절편은 $2\sqrt{13}$이다.

이때 (직선 l의 기울기) $= \tan A = \dfrac{2}{3}$이므로

직선 l의 방정식은 $y = \dfrac{2}{3}x + 2\sqrt{13}$이다.

다른 풀이 $\overline{BO}$의 길이 구하기

$\triangle AOB$에서 $\tan A = \dfrac{\overline{BO}}{\overline{AO}} = \dfrac{2}{3}$이므로

$\overline{AO} = 3k$, $\overline{BO} = 2k\,(k > 0)$라 하면

$\overline{AB} = \sqrt{(3k)^2 + (2k)^2} = \sqrt{13}k$

즉, $\triangle AOB = \dfrac{1}{2} \times 3k \times 2k = \dfrac{1}{2} \times \sqrt{13}k \times 6$이므로

$k^2 = \sqrt{13}k$

이때 $k > 0$이므로 $k = \sqrt{13}$ $\therefore \overline{BO} = 2k = 2\sqrt{13}$

19 오른쪽 그림과 같이 두 직선 $y = x + 1$, $y = \sqrt{3}x - 1$이 만나는 점을 A, x축과 만나는 점을 각각 B, C라 하고 점 A에서 x축에 내린 수선의 발을 D라 하자.

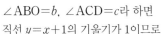

$\angle ABO = b$, $\angle ACD = c$라 하면

직선 $y = x + 1$의 기울기가 1이므로

$\triangle ABD$에서 $\tan b = 1$ $\therefore b = 45°$ ($\because 0° < b < 90°$)

$y = \sqrt{3}x - 1$의 기울기가 $\sqrt{3}$이므로

$\triangle ACD$에서 $\tan c = \sqrt{3}$ $\therefore c = 60°$ ($\because 0° < c < 90°$)

따라서 $\triangle ABC$에서 $a + 45° = 60°$ $\therefore a = 15°$

20 △DOC에서 $\tan 45° = \dfrac{\overline{CD}}{\overline{OC}} = \dfrac{\overline{CD}}{1} = \overline{CD} = 1$

△AOB에서

$\sin 45° = \dfrac{\overline{AB}}{\overline{OA}} = \dfrac{\overline{AB}}{1} = \overline{AB} = \dfrac{\sqrt{2}}{2}$

$\cos 45° = \dfrac{\overline{OB}}{\overline{OA}} = \dfrac{\overline{OB}}{1} = \overline{OB} = \dfrac{\sqrt{2}}{2}$

∴ (색칠한 부분의 넓이) = △DOC − △AOB

$= \dfrac{1}{2} \times 1 \times 1 - \dfrac{1}{2} \times \dfrac{\sqrt{2}}{2} \times \dfrac{\sqrt{2}}{2}$

$= \dfrac{1}{4}$

21 $\sin x = \dfrac{\overline{BC}}{\overline{AC}} = \dfrac{\overline{BC}}{1} = \overline{BC}$

$\sin y = \dfrac{\overline{AB}}{\overline{AC}} = \dfrac{\overline{AB}}{1} = \overline{AB}$

$\cos x = \dfrac{\overline{AB}}{\overline{AC}} = \dfrac{\overline{AB}}{1} = \overline{AB}$

$\cos y = \dfrac{\overline{BC}}{\overline{AC}} = \dfrac{\overline{BC}}{1} = \overline{BC}$

$\tan x = \dfrac{\overline{BC}}{\overline{AB}}$, $\tan y = \dfrac{\overline{AB}}{\overline{BC}}$

∴ $\dfrac{\sin y}{\sin x} \times \dfrac{\cos y}{\cos x} - \tan x \times \tan y$

$= \dfrac{\overline{AB}}{\overline{BC}} \times \dfrac{\overline{BC}}{\overline{AB}} - \dfrac{\overline{BC}}{\overline{AB}} \times \dfrac{\overline{AB}}{\overline{BC}}$

$= 1 - 1 = 0$

22 오른쪽 그림과 같은 두 직각삼각형
을 생각하면

$\cos 50° = \dfrac{b}{a}$, $\sin 40° = \dfrac{b}{a}$,

$\cos 70° = \dfrac{e}{d}$, $\sin 20° = \dfrac{e}{d}$

즉, $\cos 50° = \sin 40°$,

$\cos 70° = \sin 20°$이므로

$\sin 10° < \sin 20° < \sin 40° < \sin 65° < \sin 90°(=1)$에서

$\underline{\sin 10°} < \underline{\cos 70°} < \underline{\cos 50°} < \underline{\sin 65°} < \underline{\cos 0°}(=1)$
　ㄱ　　　ㄹ　　　ㄷ　　　ㅂ　　　ㄴ

또 $\tan 45°(=1) < \tan 50°$에서 $\cos 0° < \underline{\tan 50°}$
　　　　　　　　　　　　　　　　　　　　ㅁ

따라서 작은 것부터 차례로 나열하면

ㄱ, ㄹ, ㄷ, ㅂ, ㄴ, ㅁ

23 $0° < A < 45°$일 때, $0 < \sin A < \cos A$이므로

$\sin A + \cos A > 0$, $\sin A - \cos A < 0$

∴ $\sqrt{(\sin A + \cos A)^2} - \sqrt{(\sin A - \cos A)^2}$

$= (\sin A + \cos A) - \{-(\sin A - \cos A)\}$

$= 2\sin A = \dfrac{14}{25}$

∴ $\sin A = \dfrac{7}{25}$

즉, 오른쪽 그림과 같은 직각삼각형
ABC를 생각할 수 있다.

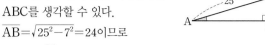

$\overline{AB} = \sqrt{25^2 - 7^2} = 24$이므로

$\cos A = \dfrac{24}{25}$

24 $\sqrt{(\sin a - \cos a)^2} + \sqrt{(\tan 45° - \cos a)^2}$
$\qquad\qquad\qquad\qquad - \sqrt{(\tan a - \cos 0°)^2}$

$= \sqrt{(\sin a - \cos a)^2} + \sqrt{(1 - \cos a)^2} - \sqrt{(\tan a - 1)^2}$

$0° < a < 45°$일 때

$\sin a < \cos a < 1$, $\tan a < 1$이므로

$\sin a - \cos a < 0$, $1 - \cos a > 0$, $\tan a - 1 < 0$

∴ $\sqrt{(\sin a - \cos a)^2} + \sqrt{(1 - \cos a)^2} - \sqrt{(\tan a - 1)^2}$

$= -(\sin a - \cos a) + (1 - \cos a) - \{-(\tan a - 1)\}$

$= -\sin a + \cos a + 1 - \cos a + \tan a - 1$

$= \tan a - \sin a$

$= \dfrac{\overline{CD}}{\overline{OD}} - \dfrac{\overline{AB}}{\overline{OA}}$

$= \overline{CD} - \overline{AB}$

$= \overline{CD} - \overline{ED} = \overline{CE}$

25 〔길잡이〕 ∠BOC의 크기를 구해 △BOC가 직각이등변삼각형임을 알아낸
후, $\overline{BC} = a\,(a > 0)$로 놓고 $\overline{AC}$의 길이를 a를 사용하여 나타내어 본다.

∠BCO = 90°, ∠BOC = 360° ÷ 8 = 45°이므로

△BOC는 $\overline{BC} = \overline{CO}$인 직각이등변삼각형이다.

$\overline{BC} = \overline{CO} = a\,(a > 0)$라 하면

△BOC에서 $\cos 45° = \dfrac{a}{\overline{BO}} = \dfrac{\sqrt{2}}{2}$ ∴ $\overline{BO} = \sqrt{2}a$

$\overline{AO} = \overline{BO} = \sqrt{2}a$이므로

$\overline{AC} = \overline{AO} - \overline{CO} = \sqrt{2}a - a = (\sqrt{2} - 1)a$

따라서 △ABC에서

$\tan x = \dfrac{\overline{AC}}{\overline{BC}} = \dfrac{(\sqrt{2} - 1)a}{a} = \sqrt{2} - 1$

26 〔길잡이〕 부채꼴 AOB에서 $\overline{AO}$와 $\overline{BO}$가 이루는 각의 크기를 구한 후, 삼
각비를 이용하여 $\overline{BH}$의 길이를 구한다.

오른쪽 그림과 같이 실의 한 끝 지점 B
에서 $\overline{AO}$에 내린 수선의 발을 H라 하
자.

∠AOB = x라 하면

$\overarc{AB} = 6\pi$ cm이므로

$2\pi \times 18 \times \dfrac{x}{360°} = 6\pi$ ∴ $x = 60°$

△BHO에서

$\sin 60° = \dfrac{\overline{BH}}{18} = \dfrac{\sqrt{3}}{2}$ ∴ $\overline{BH} = 9\sqrt{3}$ (cm)

따라서 실의 한 끝 지점 B가 지나간 자리의 길이는 $\overline{BH}$를
반지름으로 하는 원의 둘레의 길이와 같으므로

$2\pi \times 9\sqrt{3} = 18\sqrt{3}\pi$ (cm)

27 길잡이 자홍색 부분을 서로 합동인 두 직각삼각형으로 나눈 후, 그 넓이를 정사각형과 비교해 본다.

오른쪽 그림과 같이 정사각형 ABCD의 한 변의 길이를 a라 하면 $\square ABCD = a^2$이고 파란색과 자홍색 부분의 넓이는 같으므로

(자홍색 부분의 넓이)$= \dfrac{1}{2}\square ABCD$
$$= \dfrac{a^2}{2}$$

$\overline{AE}$를 그으면 $\triangle ABE \equiv \triangle AD'E$ (RHS 합동)이므로

$\triangle ABE = \triangle AD'E = \dfrac{1}{2} \times \dfrac{a^2}{2} = \dfrac{a^2}{4}$

즉, $\dfrac{1}{2} \times \overline{BE} \times a = \dfrac{a^2}{4}$에서 $\overline{BE} = \dfrac{a}{2}$

$\angle BAE = x$라 하면

$\triangle ABE$에서 $\tan x = \dfrac{\overline{BE}}{\overline{AB}} = \dfrac{a}{2} \times \dfrac{1}{a} = \dfrac{1}{2} = 0.5$이므로

주어진 삼각비의 표에서 $x = 27°$

$\therefore \angle BAD' = 2\angle BAE = 2 \times 27° = 54°$

따라서 빨간색 아크릴판을 시계 반대 방향으로 $54°$만큼 회전시키면 된다.

P. 16~17 내신 **1%** 뛰어넘기

01 $\dfrac{\sqrt{5}}{5}$	**02** $\dfrac{3\sqrt{10}}{10}$	**03** $\dfrac{50}{27}$	**04** $3\sqrt{3}$
05 $\dfrac{1}{\sin x + 1}$		**06** ㄹ, ㅁ	**07** 1

---

01 길잡이 $\triangle ABC$의 세 변의 길이를 구한 후, $\triangle ABC$가 어떤 삼각형인지 알아본다.

오른쪽 그림과 같이 각 변이 모두 x축 또는 y축에 평행하고 $\triangle ABC$에 외접하는 직사각형 CDEF를 그리면

$\triangle ACD$에서
$\overline{AC} = \sqrt{3^2 + 4^2} = 5$

$\triangle AEB$에서
$\overline{AB} = \sqrt{1^2 + 2^2} = \sqrt{5}$

$\triangle BFC$에서
$\overline{BC} = \sqrt{4^2 + 2^2} = 2\sqrt{5}$

이때 $\overline{AC}^2 = \overline{AB}^2 + \overline{BC}^2$이 성립하므로 $\triangle ABC$는 $\angle B = 90°$인 직각삼각형이다.

$\therefore \sin a = \dfrac{\overline{AB}}{\overline{AC}} = \dfrac{\sqrt{5}}{5}$

---

02 길잡이 한 예각의 크기가 x인 직각삼각형이 만들어지도록 수선을 그어 본다.

$\overline{BD} = \overline{DC} = \overline{AC} = a\,(a > 0)$라 하면

$\triangle ADC$에서
$\overline{AD} = \sqrt{a^2 + a^2} = \sqrt{2}\,a$

$\triangle ABC$에서
$\overline{AB} = \sqrt{(2a)^2 + a^2} = \sqrt{5}\,a$

점 D에서 $\overline{AB}$에 내린 수선의 발을 H라 하면

$\triangle ABC \backsim \triangle DBH$ (AA 닮음)이므로

$\overline{AB} : \overline{DB} = \overline{BC} : \overline{BH}$에서

$\sqrt{5}\,a : a = 2a : \overline{BH}$ $\quad \therefore \overline{BH} = \dfrac{2\sqrt{5}}{5}a$

$\therefore \overline{AH} = \overline{AB} - \overline{BH} = \sqrt{5}\,a - \dfrac{2\sqrt{5}}{5}a = \dfrac{3\sqrt{5}}{5}a$

따라서 $\triangle AHD$에서

$\cos x = \dfrac{\overline{AH}}{\overline{AD}} = \dfrac{3\sqrt{5}}{5}a \div \sqrt{2}\,a = \dfrac{3\sqrt{5}}{5}a \times \dfrac{1}{\sqrt{2}\,a} = \dfrac{3\sqrt{10}}{10}$

다른 풀이

오른쪽 그림과 같이 점 B에서 $\overline{AD}$의 연장선에 내린 수선의 발을 I라 하자.

$\triangle ADC$가 $\overline{AC} = \overline{DC}$인 직각이등변삼각형이므로

$\angle ADC = 45°$

$\therefore \angle BDI = \angle ADC = 45°$ (맞꼭지각)

$\triangle BID$에서

$\cos 45° = \dfrac{\overline{DI}}{a} = \dfrac{\sqrt{2}}{2}$ $\quad \therefore \overline{DI} = \dfrac{\sqrt{2}}{2}a$

$\therefore \overline{AI} = \overline{AD} + \overline{DI} = \sqrt{2}\,a + \dfrac{\sqrt{2}}{2}a = \dfrac{3\sqrt{2}}{2}a$

따라서 $\triangle ABI$에서

$\cos x = \dfrac{\overline{AI}}{\overline{AB}} = \dfrac{3\sqrt{2}}{2}a \div \sqrt{5}\,a = \dfrac{3\sqrt{2}}{2}a \times \dfrac{1}{\sqrt{5}\,a} = \dfrac{3\sqrt{10}}{10}$

---

03 길잡이 $\sin A = \dfrac{3}{5}$을 만족시키는 가장 간단한 직각삼각형을 그려서 $\cos A$, $\tan(90° - A)$의 값을 구해 본다.

$\sin A = \dfrac{3}{5}$이므로 오른쪽 그림과 같은 직각삼각형 ABC를 생각할 수 있다.

$\overline{AB} = \sqrt{5^2 - 3^2} = 4$

$\therefore \cos A = \dfrac{4}{5}$

이때 $C = 90° - A$이므로

$\tan(90° - A) = \tan C = \dfrac{4}{3}$

따라서 직선 $\dfrac{3}{5}x + \dfrac{4}{5}y = \dfrac{4}{3}$는 오른쪽 그림과 같고 x절편은 $\dfrac{20}{9}$, y절편은 $\dfrac{5}{3}$이므로

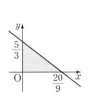

(구하는 넓이)$= \dfrac{1}{2} \times \dfrac{20}{9} \times \dfrac{5}{3} = \dfrac{50}{27}$

04 길잡이 보조선을 그어 △BPA와 닮은 도형이면서 $\overline{PC}$를 한 변으로 하는 직각삼각형을 만든다.

오른쪽 그림과 같이
$\overline{AP}=\overline{QC}=a$라 하고, 점 C에서 $\overline{PQ}$의 연장선에 내린 수선의 발을 H라 하자.

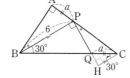

$\angle BPH=\angle CHP=90°$(엇각)
이므로 $\overline{BP}\,/\!/\,\overline{HC}$
$\therefore\ \angle BCH=\angle PBC=30°$(엇각)
△CQH에서 $\cos 30°=\dfrac{\overline{HC}}{a}=\dfrac{\sqrt{3}}{2}$ $\therefore\ \overline{HC}=\dfrac{\sqrt{3}}{2}a$
△BPA와 △PCH에서
$\angle BAP=\angle PHC=90°$,
$\angle ABP=90°-\angle APB=\angle HPC$이므로
△BPA∽△PCH (AA 닮음)
따라서 $\overline{BP}:\overline{PC}=\overline{AP}:\overline{HC}$에서
$6:\overline{PC}=a:\dfrac{\sqrt{3}}{2}a=1:\dfrac{\sqrt{3}}{2}$ $\therefore\ \overline{PC}=3\sqrt{3}$

05 길잡이 점 C에서 $\overline{BO}$에 내린 수선의 발을 D라 할 때, △OCD에서 x의 삼각비를 생각해 본다.

오른쪽 그림과 같이 점 C에서 $\overline{BO}$에 내린 수선의 발을 D라 하면
△BDC≡△BAC (RHA 합동)
이므로 $\overline{CD}=\overline{CA}=1-\overline{OC}$

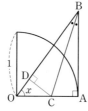

따라서 △OCD에서
$\sin x=\dfrac{\overline{CD}}{\overline{OC}}=\dfrac{1-\overline{OC}}{\overline{OC}}$
$\overline{OC}(\sin x+1)=1$ $\therefore\ \overline{OC}=\dfrac{1}{\sin x+1}$

06 길잡이 $\overleftrightarrow{AC}$가 사분원의 접선이므로 $\angle OAC=90°$임을 이용한다.

ㄱ. △AOB에서 $\sin a=\dfrac{\overline{AB}}{\overline{OA}}=\dfrac{\overline{AB}}{1}=\overline{AB}$

ㄴ. $\overleftrightarrow{AC}$가 사분원의 접선이므로 $\angle OAC=90°$

△AOC에서 $\tan a=\dfrac{\overline{AC}}{\overline{OA}}=\dfrac{\overline{AC}}{1}=\overline{AC}$

ㄷ. △AOC에서 $\cos a=\dfrac{\overline{OA}}{\overline{OC}}=\dfrac{1}{\overline{OC}}$ $\therefore\ \overline{OC}=\dfrac{1}{\cos a}$

ㄹ. △DOC에서 $\tan a=\dfrac{\overline{CD}}{\overline{OC}}$

$\therefore\ \overline{CD}=\overline{OC}\times\tan a=\dfrac{1}{\cos a}\times\tan a=\dfrac{\tan a}{\cos a}$ ($\because$ ㄷ)

ㅁ. △AOB에서 $\cos a=\dfrac{\overline{OB}}{\overline{OA}}=\dfrac{\overline{OB}}{1}=\overline{OB}$이므로

$\overline{BC}=\overline{OC}-\overline{OB}=\dfrac{1}{\cos a}-\cos a$ ($\because$ ㄷ)

이때 $0°<a<90°$이므로 $\dfrac{1}{\cos a}\neq 1$

$\therefore\ \overline{BC}\neq 1-\cos a$

따라서 옳지 않은 것은 ㄹ, ㅁ이다.

07 길잡이 직각삼각형 AOP_1, AOP_2, $\cdots$, AOP_{44}에서 직각을 제외한 나머지 두 내각의 크기의 합이 $90°$임을 이용하여 $\tan 89°=\dfrac{1}{\tan 1°}$,
$\tan 88°=\dfrac{1}{\tan 2°}$, $\cdots$, $\tan 46°=\dfrac{1}{\tan 44°}$임을 알아낸다.

$\overline{OA}=1$이므로
$\tan 1°=\dfrac{\overline{OP_1}}{\overline{OA}}=\overline{OP_1}$
$\tan 2°=\dfrac{\overline{OP_2}}{\overline{OA}}=\overline{OP_2}$
$\vdots$
$\tan 89°=\dfrac{\overline{OP_{89}}}{\overline{OA}}=\overline{OP_{89}}$
$\therefore\ \overline{OP_1}\times\overline{OP_2}\times\cdots\times\overline{OP_{89}}$
  $=\tan 1°\times\tan 2°\times\cdots\times\tan 89°$
그런데
△AOP_1에서 $\tan 89°=\dfrac{\overline{OA}}{\overline{OP_1}}=\dfrac{1}{\tan 1°}$,

△AOP_2에서 $\tan 88°=\dfrac{\overline{OA}}{\overline{OP_2}}=\dfrac{1}{\tan 2°}$,
  $\vdots$
△AOP_{44}에서 $\tan 46°=\dfrac{\overline{OA}}{\overline{OP_{44}}}=\dfrac{1}{\tan 44°}$이므로

$\tan 1°\times\tan 2°\times\cdots\times\tan 89°$
$=\tan 1°\times\tan 2°\times\cdots\times\tan 44°\times\tan 45°$
  $\times\dfrac{1}{\tan 44°}\times\cdots\times\dfrac{1}{\tan 2°}\times\dfrac{1}{\tan 1°}$
$=\tan 45°=1$

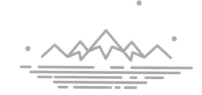

1 ②, ③   2 10.6 m   3 $10\sqrt{31}$ m

4 $60(3-\sqrt{3})$ m   5 $\dfrac{5\sqrt{2}}{2}$ 6 $7\sqrt{3}$ 7 $32\sqrt{2}$

8 12 cm²   9 $30\sqrt{2}$

1 x의 값을 35°의 삼각비를 이용하여 나타내면

$x=7\cos 35°$(②), $x=\dfrac{\overline{AC}}{\tan 35°}$

또 $\angle A=180°-(35°+90°)=55°$이므로

x의 값을 55°의 삼각비를 이용하여 나타내면

$x=7\sin 55°$(③), $x=\overline{AC}\tan 55°$

따라서 x의 값을 나타내는 것은 ②, ③이다.

2 오른쪽 그림의 $\triangle ABC$에서

$\overline{BC}=12\tan 37°$
　　$=12\times 0.75=9\,(m)$

$\therefore$ (건물의 높이)
　　$=\overline{CH}=\overline{BC}+\overline{BH}$
　　$=9+1.6=10.6\,(m)$

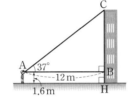

3 오른쪽 그림과 같이 점 B에서 $\overline{AC}$에 내린 수선의 발을 H라 하면

$\triangle BHC$에서

$\overline{BH}=50\sin 60°=50\times\dfrac{\sqrt{3}}{2}=25\sqrt{3}\,(m)$

$\overline{HC}=50\cos 60°=50\times\dfrac{1}{2}=25\,(m)$

$\therefore \overline{AH}=\overline{AC}-\overline{HC}=60-25=35\,(m)$

따라서 $\triangle AHB$에서

$\overline{AB}=\sqrt{35^2+(25\sqrt{3})^2}=10\sqrt{31}\,(m)$

4 오른쪽 그림과 같이 점 A에서 $\overline{BC}$에 내린 수선의 발을 H라 하고 $\overline{AH}=h$ m라 하면

$\triangle ABH$에서

$\overline{BH}=\dfrac{h}{\tan 60°}=\dfrac{h}{\sqrt{3}}=\dfrac{\sqrt{3}}{3}h\,(m)$

$\triangle AHC$에서 $\overline{CH}=\dfrac{h}{\tan 45°}=h\,(m)$

이때 $\overline{BC}=\overline{BH}+\overline{CH}$이므로

$\dfrac{\sqrt{3}}{3}h+h=120$에서 $\dfrac{\sqrt{3}+3}{3}h=120$

$\therefore h=120\times\dfrac{3}{\sqrt{3}+3}=60(3-\sqrt{3})$

따라서 지면으로부터 열기구의 높이는 $60(3-\sqrt{3})$ m이다.

5 $\triangle ABC=\dfrac{1}{2}\times\overline{AB}\times 8\times\sin 45°=10$에서

$\dfrac{1}{2}\times\overline{AB}\times 8\times\dfrac{\sqrt{2}}{2}=10$

$2\sqrt{2}\,\overline{AB}=10$　　$\therefore \overline{AB}=\dfrac{5\sqrt{2}}{2}$

6 오른쪽 그림과 같이 $\overline{AC}$를 그으면

$\square ABCD$
$=\triangle ABC+\triangle ACD$
$=\dfrac{1}{2}\times 4\times 6\times\sin 60°$
　$+\dfrac{1}{2}\times 2\times 2\sqrt{3}\times\sin(180°-150°)$
$=\dfrac{1}{2}\times 4\times 6\times\dfrac{\sqrt{3}}{2}+\dfrac{1}{2}\times 2\times 2\sqrt{3}\times\dfrac{1}{2}$
$=6\sqrt{3}+\sqrt{3}$
$=7\sqrt{3}$

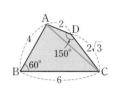

7 정팔각형은 오른쪽 그림과 같이 합동인 8개의 이등변삼각형으로 나눌 수 있으므로

$\triangle AOB$에서

$\overline{OA}=\overline{OB}=4$, $\angle AOB=\dfrac{360°}{8}=45°$

$\therefore$ (정팔각형의 넓이)
　$=8\triangle AOB$
　$=8\times\left(\dfrac{1}{2}\times 4\times 4\times\sin 45°\right)$
　$=8\times\left(\dfrac{1}{2}\times 4\times 4\times\dfrac{\sqrt{2}}{2}\right)$
　$=32\sqrt{2}$

8 $\square ABCD$가 평행사변형이므로

$\overline{AD}=\overline{BC}=8$ cm

$\overline{AM}=\overline{BM}$이므로

$\triangle AMC=\dfrac{1}{2}\triangle ABC-\dfrac{1}{2}\times\dfrac{1}{2}\square ABCD$
　　　　$=\dfrac{1}{4}\square ABCD$
　　　　$=\dfrac{1}{4}\times(8\times 4\sqrt{3}\times\sin 60°)$
　　　　$=\dfrac{1}{4}\times\left(8\times 4\sqrt{3}\times\dfrac{\sqrt{3}}{2}\right)$
　　　　$=12\,(cm^2)$

9 $\square ABCD=\dfrac{1}{2}\times 12\times 10\times\sin(180°-135°)$
　　　　$=\dfrac{1}{2}\times 12\times 10\times\dfrac{\sqrt{2}}{2}$
　　　　$=30\sqrt{2}$

1 ④		**2** 425 m		**3** $10\sqrt{3}$ m		**4** $32\sqrt{3}+24$	
5 $(3-\sqrt{3})$ cm			**6** $4\sqrt{3}$ cm²				
7 $(3\sqrt{2}+3\sqrt{6})$ km			**8** $4\sqrt{43}$ km		**9** $2\sqrt{19}$		
10 ③		**11** 0.5 km		**12** $8(\sqrt{3}-1)$		**13** ③, ⑤	
14 24 cm²		**15** $21\sqrt{3}$ cm²		**16** ③		**17** $6\sqrt{10}$ cm²	
18 $\left(\dfrac{125}{3}\pi-25\right)$ cm²			**19** ④			**20** $3\sqrt{3}-\sqrt{7}$	
21 $3\sqrt{21}$		**22** $\dfrac{45\sqrt{3}}{2}$ cm²			**23** 9		
24 $\dfrac{4}{5}$		**25** 1 cm		**26** $21\sqrt{2}$ cm²			
27 ①		**28** ②		**29** $9\sqrt{6}$		**30** 9	
31 0.168 m		**32** 분속 69.2 m					
33 P: 121 %, Q: 117 %							

1 오른쪽 그림과 같이 점 B에서 $\overline{OA}$에
내린 수선의 발을 H라 하면
△OHB에서
$\overline{OH}=30\cos 40°$ (cm)
∴ $\overline{AH}=\overline{OA}-\overline{OH}$
$=30-30\cos 40°$
$=30(1-\cos 40°)$ (cm)

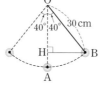

2 $\overline{AB}=$(소리가 이동한 거리)
$=$(속력)$\times$(시간)
$=340\times 2=680$ (m)
이므로 △AHB에서
$\overline{BH}=680\sin 38°$
$=680\times 0.62=421.6$ (m)
∴ $\overline{BC}=\overline{BH}+\overline{CH}$
$=421.6+3.4=425$ (m)

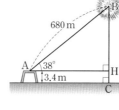

3 △DBH에서
$\overline{DH}=2\sqrt{3}\sin 30°=2\sqrt{3}\times\dfrac{1}{2}=\sqrt{3}$ (m)
$\overline{BH}=2\sqrt{3}\cos 30°=2\sqrt{3}\times\dfrac{\sqrt{3}}{2}=3$ (m)
이때 $\overline{AH}=\overline{AB}+\overline{BH}=8+3=11$ (m)이므로
△CAH에서 $\overline{CH}=\overline{AH}\tan 60°=11\times\sqrt{3}=11\sqrt{3}$ (m)
∴ $\overline{CD}=\overline{CH}-\overline{DH}=11\sqrt{3}-\sqrt{3}=10\sqrt{3}$ (m)

4 오른쪽 그림과 같이 두 점 A, D
에서 $\overline{BC}$에 내린 수선의 발을
각각 G, H라 하면
$\overline{GH}=\overline{AD}=6$
△DHC에서
$\overline{DH}=4\sqrt{6}\sin 45°=4\sqrt{6}\times\dfrac{\sqrt{2}}{2}=4\sqrt{3}$

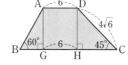

△DHC는 직각이등변삼각형이므로 $\overline{HC}=\overline{DH}=4\sqrt{3}$
$\overline{AG}=\overline{DH}=4\sqrt{3}$이므로
△ABG에서 $\overline{BG}=\dfrac{\overline{AG}}{\tan 60°}=\dfrac{4\sqrt{3}}{\sqrt{3}}=4$
∴ $\square ABCD=\dfrac{1}{2}\times(\overline{AD}+\overline{BC})\times\overline{DH}$
$=\dfrac{1}{2}\times\{6+(4+6+4\sqrt{3})\}\times 4\sqrt{3}$
$=32\sqrt{3}+24$

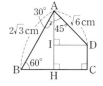

5 오른쪽 그림과 같이 점 A에서 $\overline{BC}$에
내린 수선의 발을 H, 점 D에서 $\overline{AH}$
에 내린 수선의 발을 I라 하면
△ABH에서
$\overline{AH}=2\sqrt{3}\sin 60°=2\sqrt{3}\times\dfrac{\sqrt{3}}{2}$
$=3$ (cm)
△AID에서
$\overline{AI}=\sqrt{6}\cos 45°=\sqrt{6}\times\dfrac{\sqrt{2}}{2}=\sqrt{3}$ (cm)
∴ $\overline{CD}=\overline{HI}=\overline{AH}-\overline{AI}=3-\sqrt{3}$ (cm)

6 평행사변형 ABCD에서
∠A : ∠B=2 : 1이므로
$∠A=\dfrac{2}{2+1}\times 180°=120°$
$∠B=180°-120°=60°$
즉, ∠PAB=60°, ∠PBA=30°이므로
△ABP에서 ∠APB=$180°-(60°+30°)=90°$
같은 방법으로 ∠BSC=∠CRD=∠AQD=90°이므로
□PQRS는 직사각형이다.
△BCS에서 $\overline{BS}=10\cos 30°=10\times\dfrac{\sqrt{3}}{2}=5\sqrt{3}$ (cm)

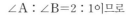
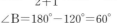

△ABP에서 $\overline{BP}=6\cos 30°=6\times\dfrac{\sqrt{3}}{2}=3\sqrt{3}$ (cm)
∴ $\overline{PS}=\overline{BS}-\overline{BP}=5\sqrt{3}-3\sqrt{3}=2\sqrt{3}$ (cm)
△BCS에서 $\overline{CS}=10\sin 30°=10\times\dfrac{1}{2}=5$ (cm)
△CDR에서 $\overline{CR}=6\sin 30°=6\times\dfrac{1}{2}=3$ (cm)
∴ $\overline{SR}=\overline{CS}-\overline{CR}=5-3=2$ (cm)
∴ $\square PQRS=\overline{PS}\times\overline{SR}=2\sqrt{3}\times 2=4\sqrt{3}$ (cm²)

7 오른쪽 그림과 같이 점 B에서
$\overline{AC}$에 내린 수선의 발을 H라 하
자.
△ABH에서
$\overline{AH}=6\cos 45°=6\times\dfrac{\sqrt{2}}{2}=3\sqrt{2}$ (km)
△ABH는 직각이등변삼각형이므로 $\overline{BH}=\overline{AH}=3\sqrt{2}$ km

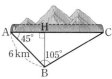

△ABC에서

$\angle BCA=180°-(105°+45°)=30°$이므로

△BCH에서

$\overline{CH}=\dfrac{\overline{BH}}{\tan 30°}=\dfrac{3\sqrt{2}}{\tan 30°}=3\sqrt{2}\times\dfrac{3}{\sqrt{3}}=3\sqrt{6}\,(\mathrm{km})$

$\therefore \overline{AC}=\overline{AH}+\overline{CH}=3\sqrt{2}+3\sqrt{6}\,(\mathrm{km})$

따라서 만들려는 터널의 길이는 $(3\sqrt{2}+3\sqrt{6})\,\mathrm{km}$이다.

8 두 자동차가 각각 시속 $84\,\mathrm{km}$, $72\,\mathrm{km}$로 20분 동안 달렸으므로

$\overline{OP}=84\times\dfrac{20}{60}=28\,(\mathrm{km})$, $\overline{OQ}=72\times\dfrac{20}{60}=24\,(\mathrm{km})$

오른쪽 그림과 같이 점 Q에서 $\overline{OP}$에
내린 수선의 발을 H라 하면
△OQH에서

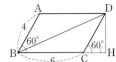

$\overline{QH}=24\sin 60°$

$\qquad =24\times\dfrac{\sqrt{3}}{2}=12\sqrt{3}\,(\mathrm{km})$

$\overline{OH}=24\cos 60°=24\times\dfrac{1}{2}=12\,(\mathrm{km})$

$\therefore \overline{PH}=\overline{OP}-\overline{OH}=28-12=16\,(\mathrm{km})$

따라서 △PHQ에서

$\overline{PQ}=\sqrt{16^2+(12\sqrt{3})^2}=4\sqrt{43}\,(\mathrm{km})$

9 오른쪽 그림과 같이 점 D에서 $\overline{BC}$의 연장선에 내린 수선의 발을 H라 하자.

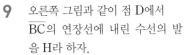

$\overline{CD}=\overline{AB}=4$이고

$\angle DCH=\angle ABC=60°$이므로

△CHD에서

$\overline{CH}=4\cos 60°=4\times\dfrac{1}{2}=2$

$\overline{DH}=4\sin 60°=4\times\dfrac{\sqrt{3}}{2}=2\sqrt{3}$

$\therefore \overline{BH}=\overline{BC}+\overline{CH}=6+2=8$

따라서 △BHD에서

$\overline{BD}=\sqrt{8^2+(2\sqrt{3})^2}=2\sqrt{19}$

10 △ABC에서 $\overline{AB}=\overline{AC}$이므로

$\angle ABC=\angle ACB=\dfrac{1}{2}\times(180°-30°)=75°$

또 △BCD에서 $\overline{BC}=\overline{BD}$이므로

$\angle DBC=180°-2\times 75°=30°$

$\therefore \angle ABD=\angle ABC-\angle DBC=75°-30°=45°$

오른쪽 그림과 같이 점 D에서 $\overline{AB}$에 내린
수선의 발을 E라 하면
△BDE에서

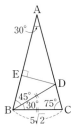

$\overline{BE}=\overline{BD}\cos 45°=5\sqrt{2}\times\dfrac{\sqrt{2}}{2}=5$

△BDE는 직각이등변삼각형이므로

$\overline{DE}=\overline{BE}=5$

△AED에서

$\overline{AE}=\dfrac{\overline{DE}}{\tan 30°}=5\times\dfrac{3}{\sqrt{3}}=5\sqrt{3}$

$\therefore \overline{AB}=\overline{AE}+\overline{BE}=5\sqrt{3}+5=5(\sqrt{3}+1)$

11 $\overline{CH}=h\,\mathrm{km}$라 하면

△CAH에서 $\overline{AH}=\dfrac{h}{\tan 45°}=h\,(\mathrm{km})$

△CHB에서 $\overline{BH}=\dfrac{h}{\tan 30°}=\sqrt{3}h\,(\mathrm{km})$

△HAB에서 $\overline{AH}^2+\overline{BH}^2=\overline{AB}^2$이므로

$h^2+(\sqrt{3}h)^2=1^2$, $4h^2=1$, $h^2=\dfrac{1}{4}$

이때 $h>0$이므로 $h=\dfrac{1}{2}=0.5$

따라서 산의 높이 $\overline{CH}$는 $0.5\,\mathrm{km}$이다.

12 오른쪽 그림과 같이 점 P에서 $\overline{BC}$에 내린 수선의 발을 H라 하고, $\overline{PH}=h$라 하면
△PBH에서

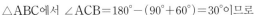

$\overline{BH}=\dfrac{h}{\tan 45°}=h$

△ABC에서 $\angle ACB=180°-(90°+60°)=30°$이므로

△PHC에서 $\overline{CH}=\dfrac{h}{\tan 30°}=\sqrt{3}h$

△DBC에서 $\overline{BC}=\dfrac{4}{\sin 45°}=4\times\dfrac{2}{\sqrt{2}}=4\sqrt{2}$

이때 $\overline{BC}=\overline{BH}+\overline{CH}$이므로 $h+\sqrt{3}h=4\sqrt{2}$

$(\sqrt{3}+1)h=4\sqrt{2}$ $\therefore h=2\sqrt{2}(\sqrt{3}-1)$

$\therefore \triangle PBC=\dfrac{1}{2}\times 4\sqrt{2}\times 2\sqrt{2}(\sqrt{3}-1)=8(\sqrt{3}-1)$

13 ③ $\angle ACH=70°$이므로
△CAH에서
$\overline{AH}=h\tan 70°\,(\mathrm{m})$
$\angle BCH=40°$이므로
△CBH에서 $\overline{BH}=h\tan 40°\,(\mathrm{m})$

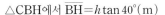

이때 $\overline{AB}=\overline{AH}-\overline{BH}$이므로

$h\tan 70°-h\tan 40°=18$

$\therefore h(\tan 70°-\tan 40°)=18$

⑤ △CAH에서 $\overline{AH}=\dfrac{h}{\tan 20°}\,(\mathrm{m})$

△CBH에서 $\overline{BH}=\dfrac{h}{\tan 50°}\,(\mathrm{m})$

이때 $\overline{AB}=\overline{AH}-\overline{BH}$이므로

$\dfrac{h}{\tan 20°}-\dfrac{h}{\tan 50°}=18$

$\therefore h\left(\dfrac{1}{\tan 20°}-\dfrac{1}{\tan 50°}\right)=18$

따라서 h의 값을 구하는 식으로 알맞은 것은 ③, ⑤이다.

14 점 P는 두 중선의 교점이므로 $\triangle$ABC의 무게중심이다.

$$\therefore \triangle\text{APC}=\frac{1}{3}\triangle\text{ABC}$$

$$=\frac{1}{3}\times\left(\frac{1}{2}\times12\times8\sqrt{3}\times\sin60°\right)$$

$$=\frac{1}{3}\times\left(\frac{1}{2}\times12\times8\sqrt{3}\times\frac{\sqrt{3}}{2}\right)=24(\text{cm}^2)$$

15 오른쪽 그림과 같이 $\overline{\text{AC}}$를 그으면

$\overline{\text{AE}}\,/\!/\,\overline{\text{DC}}$이므로

$\triangle\text{AED}=\triangle\text{AEC}$

$\therefore \square\text{ABED}$

$=\triangle\text{ABE}+\triangle\text{AED}$

$=\triangle\text{ABE}+\triangle\text{AEC}$

$=\triangle\text{ABC}$

$=\dfrac{1}{2}\times7\times12\times\sin60°$

$=\dfrac{1}{2}\times7\times12\times\dfrac{\sqrt{3}}{2}=21\sqrt{3}(\text{cm}^2)$

16 $\triangle\text{ABC}=\triangle\text{ABD}+\triangle\text{DBC}$이므로

$\dfrac{1}{2}\times6\times4\sqrt{3}\times\sin(180°-150°)$

$=\dfrac{1}{2}\times6\times\overline{\text{BD}}\times\sin30°+\dfrac{1}{2}\times\overline{\text{BD}}\times4\sqrt{3}\times\sin(180°-120°)$

$12\sqrt{3}\times\dfrac{1}{2}=3\overline{\text{BD}}\times\dfrac{1}{2}+2\sqrt{3}\,\overline{\text{BD}}\times\dfrac{\sqrt{3}}{2}$

$12\sqrt{3}=3\overline{\text{BD}}+6\overline{\text{BD}},\ 9\overline{\text{BD}}=12\sqrt{3}$

$\therefore \overline{\text{BD}}=\dfrac{4\sqrt{3}}{3}$

17 $\cos B=\dfrac{\sqrt{7}}{3}$이므로 오른쪽 그림과

같은 직각삼각형 BDE를 생각할 수

있다.

$\overline{\text{DE}}=\sqrt{3^2-(\sqrt{7})^2}=\sqrt{2}$이므로

$\sin B=\dfrac{\sqrt{2}}{3}$

$\therefore \triangle\text{ABC}=\dfrac{1}{2}\times12\times3\sqrt{5}\times\sin B$

$=\dfrac{1}{2}\times12\times3\sqrt{5}\times\dfrac{\sqrt{2}}{3}=6\sqrt{10}(\text{cm}^2)$

오른쪽 그림과 같이 점 C에서 $\overline{\text{AB}}$에

내린 수선의 발을 H라 하면

$\triangle\text{BCH}$에서

$\overline{\text{BH}}=3\sqrt{5}\cos B$

$=3\sqrt{5}\times\dfrac{\sqrt{7}}{3}=\sqrt{35}(\text{cm})$

$\overline{\text{CH}}=\sqrt{(3\sqrt{5})^2-(\sqrt{35})^2}=\sqrt{10}(\text{cm})$

$\therefore \triangle\text{ABC}=\dfrac{1}{2}\times\overline{\text{AB}}\times\overline{\text{CH}}$

$=\dfrac{1}{2}\times12\times\sqrt{10}=6\sqrt{10}(\text{cm}^2)$

18 오른쪽 그림과 같이 $\overline{\text{OP}}$를 그으면

$\overline{\text{OA}}=\overline{\text{OP}}=\dfrac{1}{2}\times20=10(\text{cm})$

이므로 $\triangle\text{AOP}$는 이등변삼각형

이다.

즉, $\angle\text{OPA}=\angle\text{OAP}=15°$이므로

$\angle\text{AOP}=180°-(15°+15°)=150°$

$\therefore$ (색칠한 부분의 넓이)

$=$(부채꼴 AOP의 넓이)$-\triangle\text{AOP}$

$=\pi\times10^2\times\dfrac{150}{360}-\dfrac{1}{2}\times10\times10\times\sin(180°-150°)$

$=\dfrac{125}{3}\pi-25(\text{cm}^2)$

19 $\triangle$BCD의 세 변은 모두 정육면체의 한 면의 대각선이므로

$\triangle$BCD는 정삼각형이고 한 변의 길이는

$\overline{\text{BC}}=\sqrt{6^2+6^2}=6\sqrt{2}$

이때 $\triangle$ABH에서

$\overline{\text{AH}}=6\cos x$이므로

(구하는 입체도형의 부피)

$=$(정육면체의 부피)$-$(삼각뿔의 부피)

$=6^3-\dfrac{1}{3}\times\left(\dfrac{1}{2}\times6\sqrt{2}\times6\sqrt{2}\times\sin60°\right)\times6\cos x$

$=216-36\sqrt{3}\cos x=36(6-\sqrt{3}\cos x)$

20 $\triangle\text{ABC}=\dfrac{1}{2}\times8\times10\times\sin60°=20\sqrt{3}$ ⋯ ㉠

오른쪽 그림과 같이 점 A에서 $\overline{\text{BC}}$

에 내린 수선의 발을 H라 하면

$\triangle\text{ABH}$에서

$\overline{\text{AH}}=8\sin60°=4\sqrt{3}$

$\overline{\text{BH}}=8\cos60°=4$

$\overline{\text{CH}}=\overline{\text{BC}}-\overline{\text{BH}}=10-4=6$이므로

$\triangle\text{AHC}$에서 $\overline{\text{AC}}=\sqrt{6^2+(4\sqrt{3})^2}=2\sqrt{21}$

내접원 I의 반지름의 길이를 r라 하면

$\triangle\text{ABC}=\dfrac{1}{2}\times r\times(\overline{\text{AB}}+\overline{\text{BC}}+\overline{\text{AC}})$

$=\dfrac{r}{2}(8+10+2\sqrt{21})$

$=r(9+\sqrt{21})$ ⋯ ㉡

따라서 ㉠, ㉡에서 $20\sqrt{3}=r(9+\sqrt{21})$이므로

$r=\dfrac{20\sqrt{3}}{9+\sqrt{21}}=3\sqrt{3}-\sqrt{7}$

21 $\triangle\text{ABC}=\dfrac{1}{2}\times18\times18\times\sin60°=81\sqrt{3}$

이때 $\triangle\text{ADF}\equiv\triangle\text{BED}\equiv\triangle\text{CFE}$ (SAS 합동)이고

$\triangle\text{ADF}=\dfrac{1}{2}\times3\times15\times\sin60°=\dfrac{45\sqrt{3}}{4}$이므로

$\triangle\text{DEF}=\triangle\text{ABC}-3\triangle\text{ADF}$

$=81\sqrt{3}-3\times\dfrac{45\sqrt{3}}{4}=\dfrac{189\sqrt{3}}{4}$

△DEF의 한 변의 길이를 x라 하면

$\triangle DEF = \dfrac{1}{2} \times x \times x \times \sin 60° = \dfrac{\sqrt{3}}{4}x^2$이므로

$\dfrac{\sqrt{3}}{4}x^2 = \dfrac{189\sqrt{3}}{4}$, $x^2 = 189$ $\therefore x = \pm 3\sqrt{21}$

이때 $x > 0$이므로 $x = 3\sqrt{21}$

따라서 △DEF의 한 변의 길이는 $3\sqrt{21}$이다.

22 △BCD에서 $\dfrac{\overline{CD}}{\overline{BC}} = \dfrac{1}{2} = \cos 60°$이므로

△BCD는 ∠BDC=90°인 직각삼각형이다.

$\therefore \overline{BD} = 10 \sin 60° = 5\sqrt{3} \,(\text{cm})$

$\therefore \square ABCD = \triangle ABD + \triangle BCD$

$\qquad = \dfrac{1}{2} \times 8 \times 5\sqrt{3} \times \sin 30° + \dfrac{1}{2} \times 5\sqrt{3} \times 5$

$\qquad = 10\sqrt{3} + \dfrac{25\sqrt{3}}{2} = \dfrac{45\sqrt{3}}{2} \,(\text{cm}^2)$

23 ∠CAD=x라 하면

$\square ABCD = \triangle ABC + \triangle ACD$

$\qquad = \dfrac{1}{2} \times 4 \times 3\sqrt{2} \times \sin 45° + \dfrac{1}{2} \times 3\sqrt{2} \times \sqrt{2} \times \sin x$

$\qquad = 6 + 3 \sin x$

이때 $\sin x$의 최댓값은 1이므로

(□ABCD의 넓이의 최댓값) $= 6 + 3 \times 1 = 9$

24 $\overline{AP} : \overline{PD} = 1 : 2$,

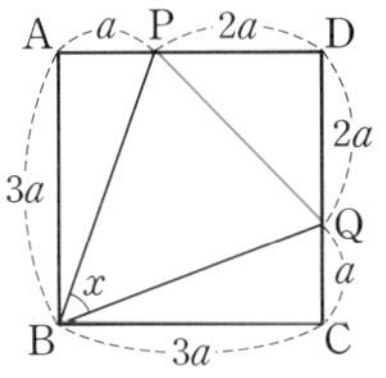

$\overline{CQ} : \overline{QD} = 1 : 2$이므로

$\overline{AP} = \overline{CQ} = a \,(a > 0)$라 하면

$\overline{PD} = \overline{QD} = 2a$, $\overline{AB} = \overline{BC} = 3a$

$\therefore \overline{PB} = \overline{QB} = \sqrt{(3a)^2 + a^2} = \sqrt{10}a$

$\overline{PQ}$를 그으면

$\square ABCD = \triangle ABP + \triangle BCQ + \triangle PQD + \triangle PBQ$

$\qquad = 2\triangle ABP + \triangle PQD + \triangle PBQ$

이므로

$(3a)^2 = 2 \times \left(\dfrac{1}{2} \times a \times 3a\right) + \dfrac{1}{2} \times 2a \times 2a$

$\qquad\qquad\qquad\qquad + \dfrac{1}{2} \times \sqrt{10}a \times \sqrt{10}a \times \sin x$

$9a^2 = 3a^2 + 2a^2 + 5a^2 \sin x$, $5a^2 \sin x = 4a^2$

$\therefore \sin x = \dfrac{4}{5}$

다른 풀이

오른쪽 그림과 같이 점 P에서 $\overline{BQ}$에
내린 수선의 발을 H라 하고 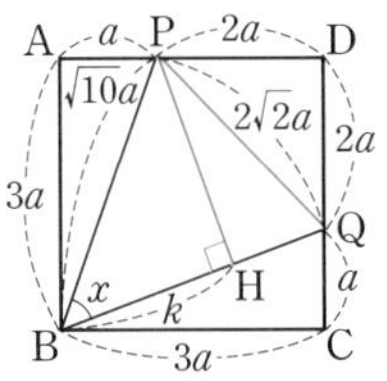
$\overline{BH} = k$라 하면

△PBQ에서

$\overline{PH}^2 = (\sqrt{10}a)^2 - k^2$

△PHQ에서

$\overline{PH}^2 = (2\sqrt{2}a)^2 - (\sqrt{10}a - k)^2$

즉, $10a^2 - k^2 = 8a^2 - 10a^2 + 2\sqrt{10}ak - k^2$이므로

$2\sqrt{10}ak = 12a^2$ $\therefore k = \dfrac{3\sqrt{10}}{5}a$

$\therefore \overline{PH} = \sqrt{(\sqrt{10}a)^2 - k^2}$

$\qquad = \sqrt{(\sqrt{10}a)^2 - \left(\dfrac{3\sqrt{10}}{5}a\right)^2} = \dfrac{4\sqrt{10}}{5}a$

따라서 △PBH에서

$\sin x = \dfrac{\overline{PH}}{\overline{PB}} = \dfrac{4\sqrt{10}a}{5} \times \dfrac{1}{\sqrt{10}a} = \dfrac{4}{5}$

25 오른쪽 그림과 같이 $\overline{AB}$, $\overline{CD}$의
연장선의 교점을 F라 하면 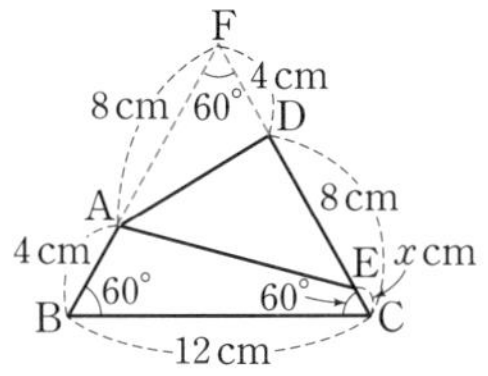
△FBC에서 ∠BFC=60°이므
로 △FBC는 정삼각형이다.
$\overline{AF} = 12 - 4 = 8 \,(\text{cm})$,
$\overline{FD} = 12 - 8 = 4 \,(\text{cm})$이므로

$\square ABCD = \triangle FBC - \triangle FAD$

$\qquad = \dfrac{1}{2} \times 12 \times 12 \times \sin 60° - \dfrac{1}{2} \times 8 \times 4 \times \sin 60°$

$\qquad = 36\sqrt{3} - 8\sqrt{3}$

$\qquad = 28\sqrt{3} \,(\text{cm}^2)$

$\therefore \triangle AED = \dfrac{1}{2}\square ABCD = \dfrac{1}{2} \times 28\sqrt{3}$

$\qquad\qquad = 14\sqrt{3} \,(\text{cm}^2)$

$\overline{CE} = x \,\text{cm}$라 하면 $\overline{FE} = (12 - x) \,\text{cm}$

△FAE = △FAD + △AED이므로

$\dfrac{1}{2} \times 8 \times (12 - x) \times \sin 60° = 8\sqrt{3} + 14\sqrt{3}$

$2\sqrt{3}(12 - x) = 22\sqrt{3}$, $12 - x = 11$ $\therefore x = 1$

따라서 $\overline{CE}$의 길이는 1 cm이다.

다른 풀이

△FAD에서

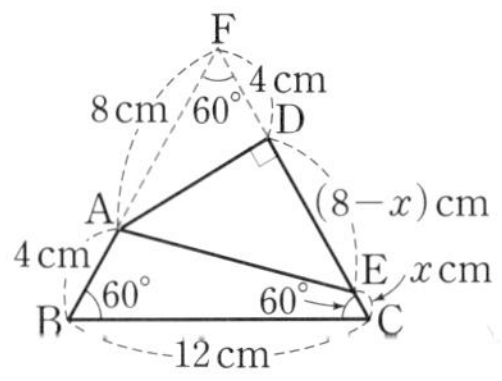

$\dfrac{\overline{FD}}{\overline{AF}} = \dfrac{1}{2} = \cos 60°$이므로

△FAD는 ∠ADF=90°인
직각삼각형이다.

$\therefore \overline{AD} = 4 \tan 60° = 4\sqrt{3} \,(\text{cm})$

$\square ABCD = \triangle FBC - \triangle FAD$

$\qquad = \dfrac{1}{2} \times 12 \times 12 \times \sin 60° - \dfrac{1}{2} \times 4 \times 4\sqrt{3}$

$\qquad = 36\sqrt{3} - 8\sqrt{3}$

$\qquad = 28\sqrt{3} \,(\text{cm}^2)$

$\therefore \triangle AED = \dfrac{1}{2}\square ABCD = \dfrac{1}{2} \times 28\sqrt{3}$

$\qquad\qquad = 14\sqrt{3} \,(\text{cm}^2)$

$\overline{CE} = x \,\text{cm}$라 하면 $\overline{DE} = (8 - x) \,\text{cm}$이므로

$\triangle AED = \dfrac{1}{2} \times (8 - x) \times 4\sqrt{3} = 14\sqrt{3} \,(\text{cm}^2)$

$8 - x = 7$ $\therefore x = 1$

따라서 $\overline{CE}$의 길이는 1 cm이다.

26 $\triangle AMN$
$= \square ABCD - \triangle ABM - \triangle MCN - \triangle AND$
$= 8 \times 14 \times \sin 45° - \dfrac{1}{2} \times 8 \times 7 \times \sin 45°$

$\qquad - \dfrac{1}{2} \times 7 \times 4 \times \sin(180° - 135°) - \dfrac{1}{2} \times 4 \times 14 \times \sin 45°$

$= 56\sqrt{2} - 14\sqrt{2} - 7\sqrt{2} - 14\sqrt{2} = 21\sqrt{2}(\text{cm}^2)$

다른 풀이

오른쪽 그림과 같이
$\overline{AC}$를 그으면
$\triangle AMN$

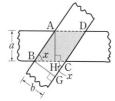

$= \triangle AMC + \triangle ACN - \triangle MCN$

$= \dfrac{1}{2}\triangle ABC + \dfrac{1}{2}\triangle ACD - \triangle MCN$

$= \dfrac{1}{2} \times \dfrac{1}{2}\square ABCD + \dfrac{1}{2} \times \dfrac{1}{2}\square ABCD - \triangle MCN$

$= \dfrac{1}{2}\square ABCD - \triangle MCN$

$= \dfrac{1}{2} \times (8 \times 14 \times \sin 45°) - \dfrac{1}{2} \times 7 \times 4 \times \sin(180° - 135°)$

$= 28\sqrt{2} - 7\sqrt{2} = 21\sqrt{2}(\text{cm}^2)$

27 $\triangle ABC = \dfrac{1}{2} \times a \times b \times \sin(180° - 135°) = \dfrac{\sqrt{2}}{4}ab$

$\angle G = \angle E = 60°$이므로

$\square DEFG = b \times c \times \sin 60° = \dfrac{\sqrt{3}}{2}bc$

이때 $\triangle ABC = \square DEFG$이므로 $\dfrac{\sqrt{2}}{4}ab = \dfrac{\sqrt{3}}{2}bc$

$b > 0$이므로 $\dfrac{\sqrt{2}}{4}a = \dfrac{\sqrt{3}}{2}c$, $a = \sqrt{6}c$

$\therefore a : c = \sqrt{6} : 1$

28 오른쪽 그림과 같이 두 점 A, B
에서 $\overleftrightarrow{BC}$, $\overleftrightarrow{CD}$에 내린 수선의 발
을 각각 H, G라 하면
$\overline{AH} = a$이므로

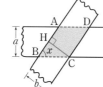

$\triangle ABH$에서 $\overline{AB} = \dfrac{\overline{AH}}{\sin x} = \dfrac{a}{\sin x}$

$\overline{BG} = b$이고 $\angle BCG = \angle ABC = x$ (엇각)이므로

$\triangle BGC$에서 $\overline{BC} = \dfrac{\overline{BG}}{\sin x} = \dfrac{b}{\sin x}$

$\therefore \square ABCD = \overline{AB} \times \overline{BC} \times \sin x$

$\qquad = \dfrac{a}{\sin x} \times \dfrac{b}{\sin x} \times \sin x = \dfrac{ab}{\sin x}$

다른 풀이

오른쪽 그림과 같이 점 C에서
$\overline{AB}$에 내린 수선의 발을 H라 하
면 $\overline{CH} = b$이므로
$\triangle BCH$에서

$\overline{BC} = \dfrac{\overline{CH}}{\sin x} = \dfrac{b}{\sin x}$

$\therefore \square ABCD = (\text{밑변의 길이}) \times (\text{높이}) = \dfrac{b}{\sin x} \times a = \dfrac{ab}{\sin x}$

29 $\triangle ABC$에서 $\overline{AC} = 8\cos 30° = 8 \times \dfrac{\sqrt{3}}{2} = 4\sqrt{3}$

$\overline{AC}$와 $\overline{BD}$의 교점을 P라 하면
$\triangle PBC$에서 $\angle APB = 15° + 30° = 45°$

$\therefore \square ABCD = \dfrac{1}{2} \times \overline{AC} \times \overline{BD} \times \sin 45°$

$\qquad = \dfrac{1}{2} \times 4\sqrt{3} \times 9 \times \sin 45° = 9\sqrt{6}$

30 오른쪽 그림과 같이 $\square ABCD$
의 두 대각선 AC, BD가 이루
는 각의 크기를 a라 하면

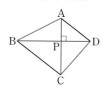

$\square ABCD = \dfrac{1}{2} \times 6 \times 8 \times \sin a$

이므로 $\square ABCD$의 넓이가 최
대일 때는 $\sin a$의 값이 최대일 때이다.
$\sin a$의 값은 $a = 90°$일 때 1로 최대이므로 꼭짓점 C가 점
C′의 위치에 있을 때, 즉 $\overline{AC} \perp \overline{BD}$일 때 $\square ABCD$의 넓이
는 최대가 된다.
따라서 $\overline{AC} \perp \overline{BD}$이면 $\overline{AB}^2 + \overline{CD}^2 = \overline{AD}^2 + \overline{BC}^2$이므로
$5^2 + \overline{CD}^2 = 4^2 + \overline{BC}^2$ $\therefore \overline{BC}^2 - \overline{CD}^2 = 9$

참고 두 대각선이 직교하는 사각형에서 피타고라스 정리의 활용

$\square ABCD$에서 두 대각선이 직교할 때
$\overline{AB}^2 + \overline{CD}^2$
$= (\overline{AP}^2 + \overline{BP}^2) + (\overline{CP}^2 + \overline{DP}^2)$
$= (\overline{AP}^2 + \overline{DP}^2) + (\overline{BP}^2 + \overline{CP}^2)$
$= \overline{AD}^2 + \overline{BC}^2$

31 **길잡이** 사탑이 기울어진 각, 즉 $\angle ACB$의 크기가 5.5°일 때와 4°일 때의
$\overline{BC}$의 길이를 각각 구해 본다.

1990년, 즉 $\angle ACB = 5.5°$일 때 $\overline{BC}$의 길이를 h_1 m,
현재, 즉 $\angle ACB = 4°$일 때 $\overline{BC}$의 길이를 h_2 m라 하면
$h_1 = 56\cos 5.5° = 56 \times 0.995 = 55.72$
$h_2 = 56\cos 4° = 56 \times 0.998 = 55.888$
$\therefore h_2 - h_1 = 55.888 - 55.72 = 0.168$
따라서 현재 $\overline{BC}$의 길이는 1990년에 비해 0.168 m 늘어났다.

32 **길잡이** 5분 후의 배의 위치를 나타낸 후, 두 직각삼각형에서 삼각비를
이용하여 배가 움직인 거리를 구한다.

오른쪽 그림과 같이 5분 후
배의 위치를 B라 하면
$\angle QPB = 60°$이므로
$\angle PBH = \angle QPB = 60°$
(엇각)

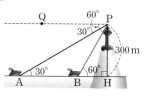

$\triangle PBH$에서 $\overline{BH} = \dfrac{300}{\tan 60°} = 100\sqrt{3}(\text{m})$

$\angle PAH = \angle QPA = 30°$ (엇각)이므로
$\triangle PAH$에서 $\overline{AH} = \dfrac{300}{\tan 30°} = 300\sqrt{3}(\text{m})$

$$\therefore \overline{AB}=\overline{AH}-\overline{BH}$$
$$=300\sqrt{3}-100\sqrt{3}=200\sqrt{3}$$
$$=200\times1.73=346\,(\text{m})$$

따라서 배는 5분 동안 346 m만큼 움직였으므로 배의 속력은
$\dfrac{346}{5}=69.2\,(\text{m/min})$, 즉 분속 69.2 m이다.

33 길잡이 평행사변형 ABCD의 이웃하는 두 변의 길이와 두 대각선의 길이를 각각 a, b, c, d로 놓고, 길이의 변화를 a, b, c, d를 사용하여 나타내어 본다.

오른쪽 그림과 같이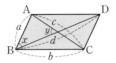
$\overline{AB}=a$, $\overline{BC}=b$, $\overline{AC}=c$, $\overline{BD}=d$
라 하고, $\overline{AB}$, $\overline{BC}$가 이루는 각의
크기를 x, 두 대각선이 이루는 예
각의 크기를 y라 하면
$$S=ab\sin x=\frac{1}{2}cd\sin y$$

(ⅰ) 오른쪽 그림과 같이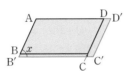
□ABCD의 네 변의 길이
를 모두 10 %씩 늘여서 만
든 사각형을 □AB′C′D′이
라 하면
$$P=1.1a\times1.1b\times\sin x$$
$$=1.21ab\sin x$$
$$=1.21S$$

(ⅱ) 오른쪽 그림과 같이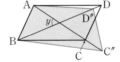
□ABCD에서 $\overline{AC}$의 길이를
30 % 늘이고, $\overline{BD}$의 길이를
10 % 줄여서 만든 사각형을
□ABC″D″이라 하면
$$Q=\frac{1}{2}\times1.3c\times0.9d\times\sin y$$
$$=\frac{1}{2}cd\sin y\times1.17$$
$$=1.17S$$

따라서 (ⅰ), (ⅱ)에 의해 P의 값은 S의 값의 121 %이고, Q의
값은 S의 값의 117 %이다.

P. 28~29 내신 **1%** 뛰어넘기

01 $643.9\,\text{m}$	**02** $\dfrac{4}{3}$	**03** $(4\sqrt{3}+3)\,\text{m}$
04 $24+8\sqrt{3}$	**05** 21	**06** $\dfrac{3\sqrt{3}}{2}$
07 $(4-2\sqrt{3})\,\text{cm}^2$		

01 길잡이 주어진 도로의 경사각에 대한 삼각비의 값을 구해 본다.

(경사도)$=\tan A\times100=25\,(\%)$이므로
$$\tan A=\frac{1}{4}$$
즉, 오른쪽 그림과 같은 직각삼각형
ABC를 생각할 수 있다.
$$\overline{AC}=\sqrt{4^2+1^2}=\sqrt{17}=4.1$$
$$\therefore \sin A=\frac{1}{4.1}$$
주어진 오르막길 도로를 오른쪽
그림과 같이 나타내면
$\overline{AC'}=1\,\text{km}=1000\,\text{m}$이므로
△AB′C′에서
$$\overline{B'C'}=1000\sin A$$
$$=1000\times\frac{1}{4.1}=243.90\cdots(\text{m})$$
$$\therefore \overline{C'H}=\overline{B'C'}+\overline{B'H}$$
$$=243.90\cdots+400=643.90\cdots(\text{m})$$
따라서 자동차의 위치를 소수점 아래 첫째 자리까지 구하면
해발 643.9 m이다.

02 길잡이 빛의 입사각의 크기와 반사각의 크기가 같으므로 세 삼각형의 각 변의 길이를 $\tan x$를 사용하여 나타내어 본다.

빛의 입사각의 크기와 반사각의
크기가 같으므로
$\angle AQP=\angle CQD=\angle PMB=x$
$\overline{BM}=a$라 하면
$$\overline{AB}=\overline{AD}=\overline{CD}=\overline{BC}=2a$$
△PBM에서 $\overline{PB}=a\tan x$
$$\therefore \overline{AP}=2a-a\tan x$$
△QCD에서 $\overline{QD}=\dfrac{2a}{\tan x}$
$$\therefore \overline{AQ}=2a-\frac{2a}{\tan x}$$
따라서 △APQ에서
$$\tan x=(2a-a\tan x)\div\left(2a-\frac{2a}{\tan x}\right)$$
$$2a\tan x-2a=2a-a\tan x,\ 3a\tan x=4a$$
$$\therefore \tan x=\frac{4a}{3a}=\frac{4}{3}$$

다른 풀이
$\overline{AP}=\overline{AB}-\overline{PB}=2a-a\tan x$이므로
△APQ에서 $\overline{AQ}=\dfrac{2a-a\tan x}{\tan x}$
이때 $\overline{AD}=\overline{AQ}+\overline{QD}$이므로
$$2a=\frac{2a-a\tan x}{\tan x}+\frac{2a}{\tan x}$$
$$2a=\frac{4a-a\tan x}{\tan x}$$
$$2a\tan x=4a-a\tan x,\ 3a\tan x=4a$$
$$\therefore \tan x=\frac{4a}{3a}=\frac{4}{3}$$

03 길잡이 건축물이 없을 때의 조형물의 그림자의 길이를 생각해 본다.

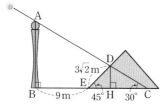

조형물과 건축물의 옆모습을 위의 그림과 같이 나타내면
$\triangle DEH$에서
$\overline{EH}=3\sqrt{2}\cos 45°=3\sqrt{2}\times\dfrac{\sqrt{2}}{2}=3\,(m)$
$\triangle DEH$는 직각이등변삼각형이므로 $\overline{DH}=\overline{EH}=3\,m$
$\triangle DHC$에서
$\overline{HC}=\dfrac{\overline{DH}}{\tan 30°}=3\times\dfrac{3}{\sqrt{3}}=3\sqrt{3}\,(m)$
$\overline{BC}=\overline{BE}+\overline{EH}+\overline{HC}=9+3+3\sqrt{3}=12+3\sqrt{3}\,(m)$이므로
$\triangle ABC$에서
$\overline{AB}=\overline{BC}\tan 30°=(12+3\sqrt{3})\times\dfrac{\sqrt{3}}{3}=4\sqrt{3}+3\,(m)$
따라서 조형물의 높이는 $(4\sqrt{3}+3)\,m$이다.

04 길잡이 삼각형의 내심을 이용하여 $\angle CAD$의 크기를 구하고, $\triangle ABD$와 $\triangle ADC$에서 각각 필요한 변의 길이를 구한다.
$\triangle ABC$의 내심 I는 세 내각의 이등분선의 교점이므로
$\angle CAD=\angle BAD=30°$
$\triangle ABC$에서 $\angle B=180°-(30°+30°+45°)=75°$
$\triangle ABD$에서 $\angle ADB=180°-(30°+75°)=75°$
즉, $\triangle ABD$는 이등변삼각형이므로 $\overline{AB}=\overline{AD}=8$
오른쪽 그림과 같이 점 D에서 $\overline{AC}$
에 내린 수선의 발을 H라 하면
$\triangle ADH$에서
$\overline{AH}=8\cos 30°=8\times\dfrac{\sqrt{3}}{2}=4\sqrt{3}$

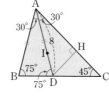

$\overline{DH}=8\sin 30°=8\times\dfrac{1}{2}=4$
$\triangle DCH$는 직각이등변삼각형이므로 $\overline{CH}=\overline{DH}=4$
$\therefore \overline{AC}=\overline{AH}+\overline{CH}=4\sqrt{3}+4$
$\therefore \triangle ABC=\dfrac{1}{2}\times\overline{AB}\times\overline{AC}\times\sin 60°$
$=\dfrac{1}{2}\times 8\times(4\sqrt{3}+4)\times\dfrac{\sqrt{3}}{2}=24+8\sqrt{3}$

05 길잡이 $\triangle ABC$와 나머지 각 삼각형의 넓이 사이의 관계를 생각해 본다.
오른쪽 그림과 같이 $\triangle ABC$에서
$\overline{BC}=a$, $\overline{AC}=b$, $\overline{AB}=c$라 하면
$\overline{BQ}=2a$, $\overline{CR}=2b$, $\overline{AP}=2c$

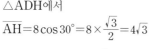

$\triangle ARP$
$=\dfrac{1}{2}\times b\times 2c\times\sin(180°-\angle RAP)$
$=\dfrac{1}{2}\times b\times 2c\times\sin A$
$=2\times\left(\dfrac{1}{2}bc\sin A\right)=2\triangle ABC=2\times 3=6$

같은 방법으로
$\triangle BPQ=2\times\left(\dfrac{1}{2}ac\sin B\right)=2\triangle ABC=2\times 3=6$
$\triangle CQR=2\times\left(\dfrac{1}{2}ab\sin C\right)=2\triangle ABC=2\times 3=6$
$\therefore \triangle PQR=\triangle ABC+\triangle ARP+\triangle BPQ+\triangle CQR$
$=3+6+6+6=21$

06 길잡이 $\triangle ABC$를 $\triangle ABP$와 $\triangle APC$로 나누고, $\overline{PQ}$와 $\overline{PR}$를 이용하여 각 삼각형의 넓이를 구해 본다.
오른쪽 그림과 같이 $\overline{AP}$를 그으면
$\triangle ABC=\triangle ABP+\triangle APC$이므로
$\dfrac{1}{2}\times 6\times 6\times\sin 60°$
$=\dfrac{1}{2}\times 6\times\overline{PQ}+\dfrac{1}{2}\times 6\times\overline{PR}$
$9\sqrt{3}=3(\overline{PQ}+\overline{PR})$
$\therefore \overline{PQ}+\overline{PR}=3\sqrt{3}$
$(\overline{PQ}+\overline{PR})^2=\overline{PQ}^2+\overline{PR}^2+2\times\overline{PQ}\times\overline{PR}$에서
$(3\sqrt{3})^2=15+2\times\overline{PQ}\times\overline{PR}$
$\therefore \overline{PQ}\times\overline{PR}=6$
$\angle QBP=60°$이므로 $\triangle QBP$에서
$\angle QPB=180°-(90°+60°)=30°$
같은 방법으로 $\triangle RPC$에서 $\angle RPC=30°$이므로
$\angle QPR=180°-(30°+30°)=120°$
$\therefore \triangle QPR=\dfrac{1}{2}\times\overline{PQ}\times\overline{PR}\times\sin(180°-120°)$
$=\dfrac{1}{2}\times 6\times\dfrac{\sqrt{3}}{2}=\dfrac{3\sqrt{3}}{2}$

07 길잡이 $\angle OPQ=a$라 할 때, a의 크기가 변함에 따라 색칠한 부분의 넓이가 어떻게 변하는지 생각해 본다.
오른쪽 그림에서
$\overline{OP}=\overline{PQ}=\overline{QR}=\overline{RO}$이므로
$\square OPQR$는 마름모이다.
이때 $\square OPQR$의 네 내각의 크기의
합은 360°이므로 4개의 부채꼴의 넓
이의 합은 반지름의 길이가 1 cm인 원의 넓이와 같다.
즉, $\angle OPQ=a$라 하면
(색칠한 부분의 넓이)
$=\square OPQR-(4$개의 부채꼴의 넓이의 합$)$
$=2\times 2\times\sin a-\pi\times 1^2$
$=4\sin a-\pi\,(cm^2)$
(i) 색칠한 부분의 넓이가 최소일 때
$\underline{\sin a$의 값이 최소}, 즉 a의 크기
가 최소일 때이므로 $\overline{OQ}=\overline{OP}$일
때이다.
이때 $\triangle OPQ$는 정삼각형이므로 $a=60°$
$\therefore$ (색칠한 부분의 넓이의 최솟값)
$=4\sin a-\pi=4\sin 60°-\pi$
$=2\sqrt{3}-\pi\,(cm^2)$

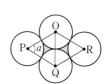

(ii) 색칠한 부분의 넓이가 최대일 때
$\sin a$의 값이 최대, 즉 $a=90°$일 때
이므로
(색칠한 부분의 넓이의 최댓값)
$\quad =4\sin a-\pi=4\sin 90°-\pi$
$\quad =4-\pi\,(\text{cm}^2)$

따라서 (i), (ii)에 의해 색칠한 부분의 넓이의 최댓값과 최솟값의 차는
$(4-\pi)-(2\sqrt{3}-\pi)=4-2\sqrt{3}\,(\text{cm}^2)$

P. 30~31 **1~2 서술형 완성하기**

[과정은 풀이 참조]

1 $\dfrac{\sqrt{6}}{3}$ 　　2 $\dfrac{2\sqrt{7}}{3}$ 　　3 $(2\sqrt{3}-2)\,\text{cm}^2$

4 $\dfrac{100(3+\sqrt{3})}{3}\,\text{m}$ 　5 $8\sqrt{2}\,\text{cm}^2$ 　　6 $\dfrac{9}{11}$

7 $\dfrac{1}{2}$ 　　8 $21\,\text{cm}^2$

1 $\overline{AB}=2$, $\overline{BM}=\dfrac{1}{2}\overline{BC}=\dfrac{1}{2}\times 2=1$이므로

$\triangle ABM$에서 $\overline{AM}=\sqrt{2^2-1^2}=\sqrt{3}$
또 $\overline{DM}=\overline{AM}=\sqrt{3}$ 　　　　　　　　$\cdots$ (i)
이때 $\triangle AMD$는 이등변삼각형이고, 점 N은 그 밑변의 중점
이므로
$\angle MNA=90°$
$\overline{AN}=\overline{DN}=\dfrac{1}{2}\overline{AD}=\dfrac{1}{2}\times 2=1$이므로
$\triangle AMN$에서 $\overline{MN}=\sqrt{(\sqrt{3})^2-1^2}=\sqrt{2}$ 　$\cdots$ (ii)
따라서 $\sin x=\dfrac{\overline{AN}}{\overline{AM}}=\dfrac{1}{\sqrt{3}}=\dfrac{\sqrt{3}}{3}$,

$\tan y=\dfrac{\overline{MN}}{\overline{DN}}=\dfrac{\sqrt{2}}{1}=\sqrt{2}$이므로 　　$\cdots$ (iii)

$\sin x\times\tan y=\dfrac{\sqrt{3}}{3}\times\sqrt{2}=\dfrac{\sqrt{6}}{3}$ 　　$\cdots$ (iv)

채점 기준	비율
(i) $\overline{AM}$, $\overline{DM}$의 길이 구하기	20 %
(ii) $\overline{MN}$의 길이 구하기	30 %
(iii) $\sin x$, $\tan y$의 값 구하기	40 %
(iv) $\sin x\times\tan y$의 값 구하기	10 %

2 $\triangle AOB$에서 $\cos a=\dfrac{\overline{OB}}{8}=\dfrac{3}{4}$ 　$\therefore \overline{OB}=6$

$\therefore \overline{AE}=\overline{BD}=\overline{OD}-\overline{OB}=8-6=2$ 　$\cdots$ (i)
또 $\overline{AB}=\sqrt{8^2-6^2}=2\sqrt{7}$
$\triangle AOB$와 $\triangle CAE$에서
$\angle ABO=\angle CEA=90°$, $\angle OAB=\angle ACE$(동위각)이므로
$\triangle AOB\backsim\triangle CAE$ (AA 닮음)
즉, $\overline{OB}:\overline{AE}=\overline{AB}:\overline{CE}$이므로
$6:2=2\sqrt{7}:\overline{CE}$ 　$\therefore \overline{CE}=\dfrac{2\sqrt{7}}{3}$ 　$\cdots$ (ii)

$\therefore \triangle CAE=\dfrac{1}{2}\times 2\times\dfrac{2\sqrt{7}}{3}=\dfrac{2\sqrt{7}}{3}$ 　$\cdots$ (iii)

채점 기준	비율
(i) $\overline{AE}$의 길이 구하기	40 %
(ii) $\overline{CE}$의 길이 구하기	40 %
(iii) $\triangle CAE$의 넓이 구하기	20 %

3 $\angle COD=15°+30°=45°$
$\triangle COD$에서
$\overline{CD}=2\sin 45°=2\times\dfrac{\sqrt{2}}{2}=\sqrt{2}\,(\text{cm})$
$\triangle COD$는 직각이등변삼각형이므로
$\overline{OD}=\overline{CD}=\sqrt{2}\,\text{cm}$ 　　　　$\cdots$ (i)
$\overline{FE}=\overline{CD}=\sqrt{2}\,\text{cm}$이므로
$\triangle FOE$에서
$\overline{OE}=\dfrac{\overline{FE}}{\tan 30°}=\sqrt{2}\times\dfrac{3}{\sqrt{3}}=\sqrt{6}\,(\text{cm})$ 　$\cdots$ (ii)
따라서 $\overline{DE}=\overline{OE}-\overline{OD}=\sqrt{6}-\sqrt{2}\,(\text{cm})$이므로
$\square CDEF=(\sqrt{6}-\sqrt{2})\times\sqrt{2}=2\sqrt{3}-2\,(\text{cm}^2)$ 　$\cdots$ (iii)

채점 기준	비율
(i) $\overline{CD}$, $\overline{OD}$의 길이 구하기	40 %
(ii) $\overline{OE}$의 길이 구하기	30 %
(iii) $\square CDEF$의 넓이 구하기	30 %

4 오른쪽 그림과 같이 점 A에서
$\overline{BD}$에 내린 수선의 발을 H라
하고, $\overline{AH}=h\,\text{m}$라 하면
$\triangle AHD$에서

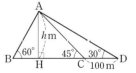

$\overline{HD}=\dfrac{h}{\tan 30°}=\sqrt{3}h\,(\text{m})$
$\triangle AHC$에서 $\overline{HC}=\dfrac{h}{\tan 45°}=h\,(\text{m})$
이때 $\overline{CD}=\overline{HD}-\overline{HC}$이므로
$\sqrt{3}h-h=100$에서 $(\sqrt{3}-1)h=100$
$\therefore h=\dfrac{100}{\sqrt{3}-1}=50(\sqrt{3}+1)$ 　　　$\cdots$ (i)
따라서 $\triangle ABH$에서
$\overline{AB}=\dfrac{h}{\sin 60°}=50(\sqrt{3}+1)\div\dfrac{\sqrt{3}}{2}$

$\quad =\dfrac{100(\sqrt{3}+1)}{\sqrt{3}}=\dfrac{100(3+\sqrt{3})}{3}\,(\text{m})$ 　$\cdots$ (ii)

다른 풀이 h의 값 구하기

$\triangle$AHC에서 $\overline{HC}=\overline{AH}=h$ m $\quad \therefore \overline{HD}=(h+100)$ m

$\triangle$AHD에서 $\tan 30°=\dfrac{h}{h+100}=\dfrac{\sqrt{3}}{3}$이므로

$3h=\sqrt{3}(h+100)$, $(3-\sqrt{3})h=100\sqrt{3}$

$\therefore h=\dfrac{100\sqrt{3}}{3-\sqrt{3}}=\dfrac{100\sqrt{3}(3+\sqrt{3})}{6}=50(\sqrt{3}+1)$

채점 기준	비율
(i) $\overline{AH}$의 길이 구하기	60 %
(ii) $\overline{AB}$의 길이 구하기	40 %

5 오른쪽 그림과 같이 점 A에서 $\overline{BC}$에 내린 수선의 발을 H라 하면 $\overline{AH}=4$ cm이므로 $\triangle$ABH에서

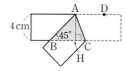

$\overline{AB}=\dfrac{4}{\sin 45°}=4\sqrt{2}$ (cm) $\qquad \cdots$ (i)

이때 $\angle$BAC$=\angle$DAC (접은 각),

$\angle$BCA$=\angle$DAC (엇각)에서 $\angle$BAC$=\angle$BCA이므로

$\triangle$ABC는 $\overline{AB}=\overline{BC}$인 이등변삼각형이다. $\qquad \cdots$ (ii)

$\therefore \triangle ABC=\dfrac{1}{2}\times 4\sqrt{2}\times 4\sqrt{2}\times \sin 45°$

$\qquad\qquad =8\sqrt{2}$ (cm²) $\qquad \cdots$ (iii)

채점 기준	비율
(i) $\overline{AB}$의 길이 구하기	30 %
(ii) $\triangle$ABC가 이등변삼각형임을 설명하기	30 %
(iii) $\triangle$ABC의 넓이 구하기	40 %

6 $\overline{AD}=3a$, $\overline{BD}=2a$, $\overline{AE}=3b$, $\overline{CE}=b$ $(a>0,\ b>0)$라 하면

$S=\dfrac{1}{2}\times 3a\times 3b\times \sin A=\dfrac{9}{2}ab\sin A \qquad \cdots$ (i)

$\triangle ABC=\dfrac{1}{2}\times (3a+2a)\times (3b+b)\times \sin A=10ab\sin A$

이므로

$T=\triangle ABC-S$

$\quad =10ab\sin A-\dfrac{9}{2}ab\sin A=\dfrac{11}{2}ab\sin A \qquad \cdots$ (ii)

$\therefore \dfrac{S}{T}=\dfrac{9}{2}ab\sin A\div \dfrac{11}{2}ab\sin A=\dfrac{9}{11} \qquad \cdots$ (iii)

채점 기준	비율
(i) S의 값을 $\sin A$를 사용하여 나타내기	40 %
(ii) T의 값을 $\sin A$를 사용하여 나타내기	40 %
(iii) $\dfrac{S}{T}$의 값 구하기	20 %

7 $\triangle$ABD와 $\triangle$BCE에서

$\overline{AB}=\overline{BC}$,

$\angle$BAD$=\angle$CBE$=60°$,

$\overline{AD}=\overline{BE}$이므로

$\triangle$ABD$\equiv\triangle$BCE (SAS 합동)

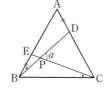

$\qquad \cdots$ (i)

즉, $\angle$ABD$=\angle$BCE이므로

$\triangle$PBC에서

$a=\angle$PBC$+\angle$BCE

$\ =\angle$PBC$+\angle$ABD$=\angle$ABC$=60°$ $\qquad \cdots$ (ii)

$\therefore \cos a=\cos 60°=\dfrac{1}{2}$ $\qquad \cdots$ (iii)

채점 기준	비율
(i) $\triangle$ABD$\equiv\triangle$BCE임을 설명하기	40 %
(ii) a의 크기 구하기	40 %
(iii) $\cos a$의 값 구하기	20 %

8 $\triangle$ABH와 $\triangle$CBG에서

$\angle$BAH$=\angle$BCG$=90°$, $\overline{BH}=\overline{BG}$, $\overline{BA}=\overline{BC}$이므로

$\triangle$ABH$\equiv\triangle$CBG (RHS 합동)

$\therefore \angle$ABH$=\angle$CBG$=\dfrac{1}{2}\times (90°-30°)=30°$ $\qquad \cdots$ (i)

$\triangle$ABH에서 $\overline{BH}=\dfrac{3\sqrt{3}}{\cos 30°}=6$ (cm)

$\therefore \overline{BG}=\overline{BH}=6$ cm

$\therefore \triangle BGH=\dfrac{1}{2}\times 6\times 6\times \sin 30°=9$ (cm²) $\qquad \cdots$ (ii)

같은 방법으로

$\triangle$GBI$\equiv\triangle$EBJ (RHS 합동)이므로

$\angle$GBI$=\angle$EBJ$=30°$

$\triangle$GBI에서 $\overline{BI}=\dfrac{6}{\cos 30°}=4\sqrt{3}$ (cm)

$\therefore \overline{BJ}=\overline{BI}=4\sqrt{3}$ cm

$\therefore \triangle BJI=\dfrac{1}{2}\times 4\sqrt{3}\times 4\sqrt{3}\times \sin 30°=12$ (cm²) $\qquad \cdots$ (iii)

$\therefore \triangle BGH+\triangle BJI=9+12=21$ (cm²) $\qquad \cdots$ (iv)

채점 기준	비율
(i) $\angle$ABH의 크기 구하기	30 %
(ii) $\triangle$BGH의 넓이 구하기	30 %
(iii) $\triangle$BJI의 넓이 구하기	30 %
(iv) $\triangle$BGH와 $\triangle$BJI의 넓이의 합 구하기	10 %

3. 원과 직선

P. 34~35 개념+ ^{대표}문제 확인하기

1 10 cm	**2** $9\sqrt{3}$ cm²	**3** $\dfrac{15}{2}$ cm	**4** 225π
5 $2\sqrt{2}$ cm	**6** $65°$	**7** 34	**8** 11
9 3 cm	**10** 6 cm		

1 $\overline{AB} \perp \overline{OC}$이므로 $\overline{AM} = \overline{BM} = \dfrac{1}{2} \times 16 = 8$ (cm)

$\overline{OB} = x$ cm라 하면

$\overline{OC} = \overline{OB} = x$ cm, $\overline{OM} = (x-4)$ cm

$\triangle OMB$에서 $8^2 + (x-4)^2 = x^2$

$8x = 80$ ∴ $x = 10$

따라서 $\overline{OB}$의 길이는 10 cm이다.

2 오른쪽 그림과 같이 원 O의 중심에서 $\overline{AB}$에 내린 수선의 발을 H라 하면

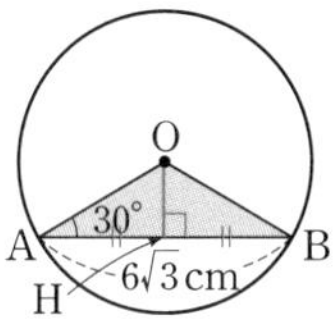

$\overline{AH} = \overline{BH} = \dfrac{1}{2} \times 6\sqrt{3} = 3\sqrt{3}$ (cm)

$\triangle OAH$에서

$\overline{OH} = \overline{AH} \tan 30° = 3\sqrt{3} \times \dfrac{\sqrt{3}}{3} = 3$ (cm)

∴ $\triangle OAB = \dfrac{1}{2} \times 6\sqrt{3} \times 3 = 9\sqrt{3}$ (cm²)

3 오른쪽 그림과 같이 원래 접시의 중심을 O라 하면 현의 수직이등분선은 그 원의 중심을 지나므로 $\overline{CM}$의 연장선은 점 O를 지난다.

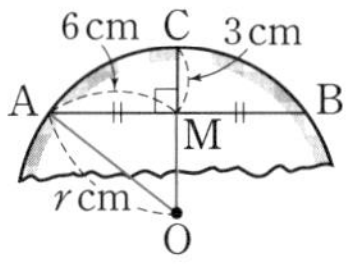

$\overline{AM} = \dfrac{1}{2}\overline{AB} = \dfrac{1}{2} \times 12 = 6$ (cm)

원래 접시의 반지름의 길이를 r cm라 하고 $\overline{OA}$를 그으면

$\overline{OA} = \overline{OC} = r$ cm, $\overline{OM} = (r-3)$ cm

$\triangle AOM$에서 $6^2 + (r-3)^2 = r^2$

$6r = 45$ ∴ $r = \dfrac{15}{2}$

따라서 원래 접시의 반지름의 길이는 $\dfrac{15}{2}$ cm이다.

4 오른쪽 그림과 같이 큰 원과 작은 원의 반지름의 길이를 각각 R, r라 하고, 작은 원과 $\overline{AB}$의 접점을 M이라 하면

$\overline{AB} \perp \overline{OM}$이므로

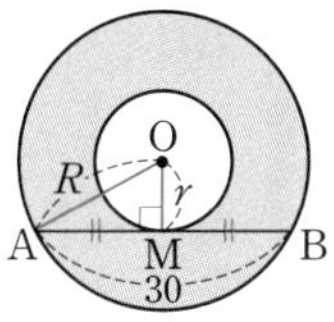

$\overline{AM} = \overline{BM} = \dfrac{1}{2} \times 30 = 15$

$\triangle OAM$에서 $R^2 - r^2 = 15^2 = 225$

∴ (색칠한 부분의 넓이)

$= $ (큰 원의 넓이) $-$ (작은 원의 넓이)

$= \pi R^2 - \pi r^2$

$= \pi(R^2 - r^2)$

$= 225\pi$

5 $\overline{OM} = \overline{ON}$이므로 $\overline{AB} = \overline{CD} = 4$ cm

$\overline{AB} \perp \overline{OM}$이므로

$\overline{AM} = \dfrac{1}{2}\overline{AB} = \dfrac{1}{2} \times 4 = 2$ (cm)

따라서 $\triangle AMO$에서

$\overline{OA} = \sqrt{2^2 + 2^2} = 2\sqrt{2}$ (cm)

6 $\square AMON$에서

$\angle MAN = 360° - (90° + 130° + 90°) = 50°$

$\overline{OM} = \overline{ON}$이므로 $\overline{AB} = \overline{AC}$

따라서 $\triangle ABC$는 이등변삼각형이므로

$\angle ABC = \dfrac{1}{2} \times (180° - 50°) = 65°$

7 원 O의 반지름의 길이를 r라 하면

$\overline{OA} = \overline{OB} = \overline{OC} = r$

$\angle PAO = 90°$이므로

$\triangle PAO$에서 $12^2 + r^2 = (8+r)^2$

$16r = 80$ ∴ $r = 5$

이때 $\overline{PB} = \overline{PA} = 12$이므로

($\square APBO$의 둘레의 길이) $= 12 + 12 + 5 + 5 = 34$

8 $\overline{AD} = \overline{AE}$, $\overline{BD} = \overline{BF}$, $\overline{CE} = \overline{CF}$이므로

$\triangle ABC$의 둘레의 길이는

$\overline{AB} + \overline{BC} + \overline{CA} = \overline{AD} + \overline{AE} = 2\overline{AE}$

$15 + \overline{BC} + 10 = 2 \times 18$

∴ $\overline{BC} = 11$

다른 풀이

$\overline{CF} = \overline{CE} = 18 - 10 = 8$

$\overline{AD} = \overline{AE} = 18$이므로

$\overline{BF} = \overline{BD} = 18 - 15 = 3$

∴ $\overline{BC} = \overline{BF} + \overline{CF}$

$\quad = 3 + 8 = 11$

9 $\overline{AD} = \overline{AF} = x$ cm라 하면

$\overline{BE} = \overline{BD} = (10-x)$ cm,

$\overline{CE} = \overline{CF} = (8-x)$ cm

이때 $\overline{BC} = \overline{BE} + \overline{CE}$이므로

$12 = (10-x) + (8-x)$

$2x = 6$ ∴ $x = 3$

따라서 $\overline{AD}$의 길이는 3 cm이다.

10 $\overline{AB} : \overline{AD} = 3 : 2$이므로

$\overline{AB} = 3k$ cm, $\overline{AD} = 2k$ cm ($k > 0$)라 하자.

$\square ABCD$에서

$\overline{AB} + \overline{CD} = \overline{AD} + \overline{BC}$이므로

$3k + 11 = 2k + 14$ ∴ $k = 3$

∴ $\overline{AD} = 2k = 2 \times 3 = 6$ (cm)

1 6	2 9π	3 $375\,\text{cm}^2$	4 ①
5 $\dfrac{4\sqrt{3}}{3}\pi\,\text{cm}$	6 $16\,\text{cm}$	7 $\dfrac{72}{5}$	8 $4\sqrt{15}\,\text{cm}$
9 $10\pi\,\text{cm}$	10 ④	11 ⑤	12 $143°$	13 ㄱ, ㄷ
14 $\left(8\sqrt{3}-\dfrac{2}{3}\pi\right)\text{cm}^2$	15 $50°$	16 $10\sqrt{3}$	17 ③
18 24	19 $20\,\text{cm}^2$	20 $\dfrac{36\sqrt{13}}{13}$	21 36
22 $\dfrac{4\sqrt{15}}{5}$	23 $9\pi\,\text{cm}^2$		24 $300\,\text{cm}$
25 $100\,\text{cm}^2$	26 17	27 54	28 $6\,\text{cm}$
29 $(18-4\sqrt{15})\,\text{cm}$	30 $3(\sqrt{3}-1)\,\text{cm}$	31 $\sqrt{3}$
32 $\left(\dfrac{20}{3}\pi+10\sqrt{3}\right)\text{cm}$		33 $2\,\text{km}$

1 $\overline{AB}\perp\overline{OM}$, $\overline{AC}\perp\overline{ON}$이므로
$\overline{AM}=\overline{BM}$, $\overline{AN}=\overline{CN}$
따라서 △ABC에서 삼각형의 두 변의 중점을 연결한 선분의 성질에 의해
$\overline{MN}=\dfrac{1}{2}\overline{BC}=\dfrac{1}{2}\times12=6$

> [참고] △ABC에서
> $\overline{AM}=\overline{BM}$, $\overline{AN}=\overline{CN}$이면
> $\overline{MN}=\dfrac{1}{2}\overline{BC}$이다.

2 오른쪽 그림과 같이 원 P의 중심에서 $\overline{AB}$에 내린 수선의 발을 H라 하면
$\overline{AH}=\overline{BH}$이므로
$\overline{BH}=\dfrac{1}{2}\overline{AB}$
$\qquad=\dfrac{1}{2}\times(4-2)=1$
이때 원 P의 반지름의 길이는
$\overline{PC}=\overline{OB}+\overline{BH}=2+1=3$
∴ (원 P의 넓이)$=\pi\times3^2=9\pi$

3 점 P에서 $\overline{AB}$에 내린 수선의 발을 H라 하면 △PAB의 넓이가 최대가 되는 것은 오른쪽 그림과 같이 $\overline{PH}$가 원 O의 중심을 지날 때이다.
즉, $\overline{AH}=\dfrac{1}{2}\overline{AB}=\dfrac{1}{2}\times30=15\,(\text{cm})$이므로
△OAH에서
$\overline{OH}=\sqrt{17^2-15^2}=8\,(\text{cm})$
$\overline{PH}=\overline{OP}+\overline{OH}=17+8=25\,(\text{cm})$
∴ (△PAB의 넓이의 최댓값)$=\dfrac{1}{2}\times30\times25$
$\qquad=375\,(\text{cm}^2)$

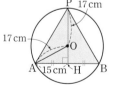

4 오른쪽 그림과 같이 원의 중심을 O라 하면 현의 수직이등분선은 그 원의 중심을 지나므로 $\overline{CH}$의 연장선은 점 O를 지난다.
$\overline{OA}$를 그으면
$\overline{OA}=\overline{OC}=200\,\text{m}$
$\overline{AH}=\dfrac{1}{2}\overline{AB}=\dfrac{1}{2}\times240=120\,(\text{m})$
△AOH에서
$\overline{OH}=\sqrt{200^2-120^2}=160\,(\text{m})$
∴ $\overline{CH}=\overline{OC}-\overline{OH}$
$\qquad=200-160=40\,(\text{m})$

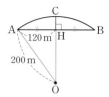

5 오른쪽 그림과 같이 원의 중심 O에서 $\overline{AB}$에 내린 수선의 발을 H라 하고, $\overline{OH}$의 연장선이 원 O와 만나는 점을 C라 하면
$\overline{AH}=\dfrac{1}{2}\overline{AB}=\dfrac{1}{2}\times6=3\,(\text{cm})$
원 O의 반지름의 길이를 $r\,\text{cm}$라 하면
$\overline{OA}=\overline{OC}=r\,\text{cm}$, $\overline{OH}=\dfrac{1}{2}\overline{OC}=\dfrac{1}{2}r\,(\text{cm})$
△OAH에서 $3^2+\left(\dfrac{1}{2}r\right)^2=r^2$
$r^2=12$　∴ $r=\pm2\sqrt{3}$
이때 $r>0$이므로 $r=2\sqrt{3}$
또 △OAH에서 $0°<\angle AOH<90°$이고
$\cos(\angle AOH)=\dfrac{\overline{OH}}{\overline{OA}}=\dfrac{1}{2}$이므로
$\angle AOH=60°$
같은 방법으로 $\angle BOH=60°$이므로
$\angle AOB=60°+60°=120°$
∴ $\overset{\frown}{AOB}=\overset{\frown}{ACB}=2\pi\times2\sqrt{3}\times\dfrac{120}{360}=\dfrac{4\sqrt{3}}{3}\pi\,(\text{cm})$

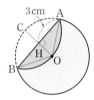

6 두 원의 반지름의 길이의 합이 $27\,\text{cm}$이므로 큰 원과 작은 원의 반지름의 길이를 각각 $r\,\text{cm}$, $(27-r)\,\text{cm}$라 하자.
오른쪽 그림과 같이 원의 중심 O에서 $\overline{AB}$에 내린 수선의 발을 H라 하면
$\overline{AH}=\dfrac{1}{2}\overline{AB}=\dfrac{1}{2}\times24=12\,(\text{cm})$
이때 $4\overline{CD}=24\,\text{cm}$이므로
$\overline{CD}=6\,(\text{cm})$
∴ $\overline{CH}=\dfrac{1}{2}\overline{CD}=\dfrac{1}{2}\times6=3\,(\text{cm})$
△OAH에서 $\overline{OH}^2=r^2-12^2$
△OCH에서 $\overline{OH}^2=(27-r)^2-3^2$
즉, $r^2-144=(27-r)^2-9$에서
$54r=864$　∴ $r=16$
따라서 큰 원의 반지름의 길이는 $16\,\text{cm}$이다.

7 오른쪽 그림과 같이 $\overline{OE}$를 그으면
$\overline{BC}\perp\overline{OE}$, $\overline{BE}=\overline{CE}$
$\overline{OB}=15$, $\overline{OE}=12$이므로

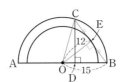

$\triangle OBE$에서
$\overline{BE}=\sqrt{15^2-12^2}=9$
$\therefore \overline{BC}=2\overline{BE}=2\times9=18$
$\overline{OC}$를 그으면 $\overline{OC}=15$이므로
$\triangle OBC$에서 $\dfrac{1}{2}\times\overline{BC}\times\overline{OE}=\dfrac{1}{2}\times\overline{OB}\times\overline{CD}$
$\dfrac{1}{2}\times18\times12=\dfrac{1}{2}\times15\times\overline{CD}$　　$\therefore \overline{CD}=\dfrac{72}{5}$

다른 풀이
$\triangle OBE$와 $\triangle CBD$에서
$\angle OEB=\angle CDB=90°$, $\angle B$는 공통이므로
$\triangle OBE\backsim\triangle CBD$ (AA 닮음)
따라서 $\overline{OB}:\overline{CB}=\overline{OE}:\overline{CD}$이므로
$15:18=12:\overline{CD}$　　$\therefore \overline{CD}=\dfrac{72}{5}$

8 오른쪽 그림과 같이 점 O'에서
$\overline{OM}$에 내린 수선의 발을 H라 하면
$\overline{HM}=\overline{O'N}=4\,cm$이므로
$\overline{OH}=6-4=2\,(cm)$

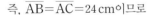

$\triangle OHO'$에서
$\overline{HO'}=\sqrt{8^2-2^2}=2\sqrt{15}\,(cm)$
이때 $\overline{AM}=\overline{PM}$, $\overline{PN}=\overline{BN}$이므로
$\overline{AB}=\overline{AP}+\overline{BP}=2(\overline{PM}+\overline{PN})$
$\quad=2\overline{MN}=2\overline{HO'}=2\times2\sqrt{15}=4\sqrt{15}\,(cm)$

9 $\overline{OM}=\overline{ON}$이므로 큰 원에서 중심 O로
부터 같은 거리에 있는 두 현 AB, AC
의 길이는 같다.
즉, $\overline{AB}=\overline{AC}=24\,cm$이므로
$\overline{BM}=\dfrac{1}{2}\overline{AB}=\dfrac{1}{2}\times24=12\,(cm)$
작은 원의 반지름의 길이를 $r\,cm$라 하면
$\overline{OM}=\overline{OD}=r\,cm$이고 $\angle OMB=90°$이므로
$\triangle OMB$에서 $12^2+r^2=(r+8)^2$
$16r=80$　　$\therefore r=5$
$\therefore$ (작은 원의 둘레의 길이)$=2\pi\times5=10\pi\,(cm)$

10 오른쪽 그림과 같이 원 O의 중심에
서 $\overline{AB}$, $\overline{CD}$에 내린 수선의 발을 각
각 M, N이라 하면

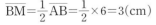

$\overline{BM}=\dfrac{1}{2}\overline{AB}=\dfrac{1}{2}\times6=3\,(cm)$
$\overline{OB}=4\,cm$이므로
$\triangle BMO$에서 $\overline{OM}=\sqrt{4^2-3^2}=\sqrt{7}\,(cm)$
이때 $\overline{AB}=\overline{CD}$이므로 $\overline{ON}=\overline{OM}=\sqrt{7}\,cm$
$\therefore \overline{MN}=\overline{OM}+\overline{ON}=\sqrt{7}+\sqrt{7}=2\sqrt{7}\,(cm)$
따라서 두 현 AB와 CD 사이의 거리는 $2\sqrt{7}\,cm$이다.

11 $\square AMON$에서
$\angle MAN=360°-(90°+120°+90°)=60°$
$\overline{OM}=\overline{ON}$이므로 $\overline{AB}=\overline{AC}$
즉, $\triangle ABC$는 정삼각형이므로
$\overline{AB}=\overline{AC}=\overline{BC}=12\,cm$
오른쪽 그림과 같이 $\overline{OA}$를 그으면
$\triangle AMO\equiv\triangle ANO$ (RHS 합동)이
므로

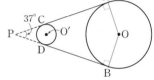

$\angle MAO=\angle NAO=\dfrac{1}{2}\times60°=30°$
$\overline{AB}\perp\overline{OM}$이므로
$\overline{AM}=\overline{BM}=\dfrac{1}{2}\times12=6\,(cm)$
$\triangle AMO$에서 $\overline{OA}=\dfrac{\overline{AM}}{\cos30°}=6\times\dfrac{2}{\sqrt{3}}=4\sqrt{3}\,(cm)$
$\therefore$ (원 O의 넓이)$=\pi\times(4\sqrt{3})^2=48\pi\,(cm^2)$

12 오른쪽 그림과 같이 크고
작은 두 바퀴의 중심을
각각 O, O'이라 하고, 두
바퀴와 벨트의 접점을 각
각 A, B, C, D라 하면
$\angle CPD=37°$이고 $\angle PAO=\angle PBO=90°$이므로
$\square APBO$에서
$\angle AOB=360°-(90°+37°+90°)=143°$
따라서 큰 바퀴에서 벨트가 닿지 않는 부분이 이루는 호 AB
에 대한 중심각의 크기는 $143°$이다.

13 ㄱ. $\overline{PA}=\overline{PB}=4\sqrt{3}\,cm$, $\angle APB=60°$이므로
$\triangle ABP$는 정삼각형이다.
$\therefore \overline{AB}=\overline{PB}=4\sqrt{3}\,cm$
ㄴ. $\triangle PAO\equiv\triangle PBO$ (RHS 합동)
이므로
$\angle BPO=\angle APO=30°$

$\triangle OBP$에서
$\overline{OB}=\overline{BP}\tan30°$
$\quad=4\sqrt{3}\times\dfrac{\sqrt{3}}{3}=4\,(cm)$
ㄷ. $\square AOBP$에서
$\angle AOB=360°-(90°+60°+90°)=120°$이므로
$\triangle OBA=\dfrac{1}{2}\times\overline{OA}\times\overline{OB}\times\sin(180°-120°)$
$\quad=\dfrac{1}{2}\times4\times4\times\dfrac{\sqrt{3}}{2}=4\sqrt{3}\,(cm^2)$
ㄹ. $\angle AOB=120°$이므로 ($\because$ ㄷ)
(색칠한 부분의 넓이)$=\pi\times4^2\times\dfrac{360-120}{360}$
$\quad=\dfrac{32}{3}\pi\,(cm^2)$
따라서 옳은 것은 ㄱ, ㄷ이다.

14 오른쪽 그림과 같이 $\overline{\text{O}'\text{T}}$를 그으면

$\overline{\text{O}'\text{T}}=4\,\text{cm}$

$\overline{\text{AO}'}=2+2+4=8\,(\text{cm})$

이때 $\triangle\text{ATO}'$에서

$0°<\angle\text{AO}'\text{T}<90°$이고

$\cos(\angle\text{AO}'\text{T})=\dfrac{4}{8}=\dfrac{1}{2}$이므로

$\angle\text{AO}'\text{T}=60°$

$\therefore$ (색칠한 부분의 넓이)

$\quad=$ (반원 O의 넓이)$+\triangle\text{ATO}'-$(부채꼴 $\text{BO}'\text{T}$의 넓이)

$\quad=\left(\dfrac{1}{2}\times\pi\times2^2\right)+\left(\dfrac{1}{2}\times8\times4\times\sin60°\right)$

$\qquad\qquad\qquad\qquad-\left(\pi\times4^2\times\dfrac{60}{360}\right)$

$\quad=2\pi+8\sqrt{3}-\dfrac{8}{3}\pi$

$\quad=8\sqrt{3}-\dfrac{2}{3}\pi\,(\text{cm}^2)$

15 $\overline{\text{PA}}=\overline{\text{PQ}}=\overline{\text{PB}}$이므로 $\triangle\text{PAQ}$와 $\triangle\text{PQB}$는 각각 이등변삼각형이다.

즉, $\angle\text{PQA}=\angle\text{PAQ}=50°$이므로

$\triangle\text{PAQ}$에서 $\angle\text{BPQ}=50°+50°=100°$

$\therefore\ \angle\text{PBQ}=\angle\text{PQB}=\dfrac{1}{2}\times(180°-100°)=40°$

이때 $\angle\text{PBO}'=90°$이므로

$\angle\text{QBO}'=\angle\text{PBO}'-\angle\text{PBQ}=90°-40°=50°$

16 오른쪽 그림과 같이 $\overline{\text{OD}}$, $\overline{\text{OE}}$를 그으면

$\angle\text{ODA}=\angle\text{OEA}=90°$

$\triangle\text{DAO}\equiv\triangle\text{EAO}$ (RHS 합동)이므로

$\angle\text{EAO}=\angle\text{DAO}=\dfrac{1}{2}\times60°=30°$

$\triangle\text{OAE}$에서

$\overline{\text{AE}}=\overline{\text{OA}}\cos30°=10\times\dfrac{\sqrt{3}}{2}=5\sqrt{3}$

$\overline{\text{AD}}=\overline{\text{AE}}$, $\overline{\text{BF}}=\overline{\text{BE}}$, $\overline{\text{CF}}=\overline{\text{CD}}$이므로

(△ABC의 둘레의 길이)$=\overline{\text{AB}}+\overline{\text{BC}}+\overline{\text{CA}}$

$\qquad\qquad\qquad\qquad=\overline{\text{AE}}+\overline{\text{AD}}$

$\qquad\qquad\qquad\qquad=2\overline{\text{AE}}=2\times5\sqrt{3}$

$\qquad\qquad\qquad\qquad=10\sqrt{3}$

17 (△PDC의 둘레의 길이)

$=\overline{\text{CD}}+\overline{\text{PC}}+\overline{\text{PD}}$

$=\overline{\text{PA}}+\overline{\text{PB}}=2\overline{\text{PA}}=48\,\text{cm}$

이므로 $\overline{\text{PA}}=24\,(\text{cm})$

$\therefore\ \overline{\text{AC}}=\overline{\text{PA}}-\overline{\text{PC}}=24-15=9\,(\text{cm})$

$\overline{\text{CE}}=\overline{\text{AC}}=9\,\text{cm}$이고

$\angle\text{CEP}=90°$이므로

$\triangle\text{CPE}$에서 $\overline{\text{EP}}=\sqrt{15^2-9^2}=12\,(\text{cm})$

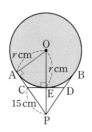

원 O의 반지름의 길이를 $r\,\text{cm}$라 하고, $\overline{\text{OA}}$를 그으면

$\overline{\text{OA}}=\overline{\text{OE}}=r\,\text{cm}$이므로

$\triangle\text{APO}$에서 $r^2+24^2=(r+12)^2$

$24r=432$ $\therefore\ r=18$

$\therefore$ (원 O의 넓이)$=\pi\times18^2=324\pi\,(\text{cm}^2)$

18 $\overline{\text{AD}}=\overline{\text{CD}}=\overline{\text{AB}}=8$

$\overline{\text{AF}}=\overline{\text{AB}}=8$

$\overline{\text{DE}}=x$라 하면

$\overline{\text{EF}}=\overline{\text{EC}}=8-x$

$\triangle\text{AED}$에서 $8^2+x^2=(16-x)^2$

$32x=192$ $\therefore\ x=6$

$\therefore\ \triangle\text{AED}=\dfrac{1}{2}\times8\times6=24$

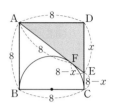

19 오른쪽 그림과 같이 점 D에서 $\overline{\text{BC}}$에 내린 수선의 발을 H라 하면

$\overline{\text{BH}}=\overline{\text{AD}}=2\,\text{cm}$이므로

$\overline{\text{CH}}=8-2=6\,(\text{cm})$

또 $\overline{\text{DE}}=\overline{\text{DA}}=2\,\text{cm}$,

$\overline{\text{CE}}=\overline{\text{CB}}=8\,\text{cm}$이므로

$\overline{\text{CD}}=8+2=10\,(\text{cm})$

$\triangle\text{DCH}$에서 $\overline{\text{DH}}=\sqrt{10^2-6^2}=8\,(\text{cm})$

즉, $\overline{\text{AB}}=\overline{\text{DH}}=8\,\text{cm}$이므로

$\overline{\text{OA}}=\dfrac{1}{2}\overline{\text{AB}}=\dfrac{1}{2}\times8=4\,(\text{cm})$

$\overline{\text{OE}}$를 그으면 $\overline{\text{OE}}\perp\overline{\text{CD}}$이고

$\overline{\text{OE}}=\overline{\text{OA}}=4\,\text{cm}$이므로

$\triangle\text{COD}=\dfrac{1}{2}\times\overline{\text{CD}}\times\overline{\text{OE}}=\dfrac{1}{2}\times10\times4=20\,(\text{cm}^2)$

20 오른쪽 그림과 같이 점 C에서 $\overline{\text{AD}}$에 내린 수선의 발을 H라 하면

$\overline{\text{AH}}=\overline{\text{BC}}=4$이므로

$\overline{\text{DH}}=9-4=5$

또 $\overline{\text{DT}}=\overline{\text{DA}}=9$, $\overline{\text{CT}}=\overline{\text{CB}}=4$

이므로 $\overline{\text{CD}}=9+4=13$

$\triangle\text{DHC}$에서 $\overline{\text{CH}}=\sqrt{13^2-5^2}=12$

즉, $\overline{\text{AB}}=\overline{\text{CH}}=12$이므로 $\overline{\text{OA}}=\dfrac{1}{2}\overline{\text{AB}}=\dfrac{1}{2}\times12=6$

$\triangle\text{DAT}$는 $\overline{\text{DA}}=\overline{\text{DT}}$인 이등변삼각형이므로 점 D에서 $\overline{\text{AT}}$에 내린 수선의 발을 M이라 하면 $\overline{\text{AM}}=\overline{\text{TM}}$

이때 $\overline{\text{DM}}$은 $\overline{\text{AT}}$의 수직이등분선이고, $\overline{\text{AT}}$는 반원 O의 현이므로 $\overline{\text{DM}}$의 연장선은 반원의 중심 O를 지난다.

$\triangle\text{DAO}$에서 $\overline{\text{DO}}=\sqrt{9^2+6^2}=3\sqrt{13}$

$\triangle\text{DAO}=\dfrac{1}{2}\times\overline{\text{AD}}\times\overline{\text{OA}}=\dfrac{1}{2}\times\overline{\text{DO}}\times\overline{\text{AM}}$이므로

$9\times6=3\sqrt{13}\times\overline{\text{AM}}$ $\therefore\ \overline{\text{AM}}=\dfrac{18\sqrt{13}}{13}$

$\therefore\ \overline{\text{AT}}=2\overline{\text{AM}}=2\times\dfrac{18\sqrt{13}}{13}=\dfrac{36\sqrt{13}}{13}$

21 오른쪽 그림과 같이 4개의 원과 각 삼각형의 접점을 각각 G, H, I, J, K, L, M, N, O라 하자.

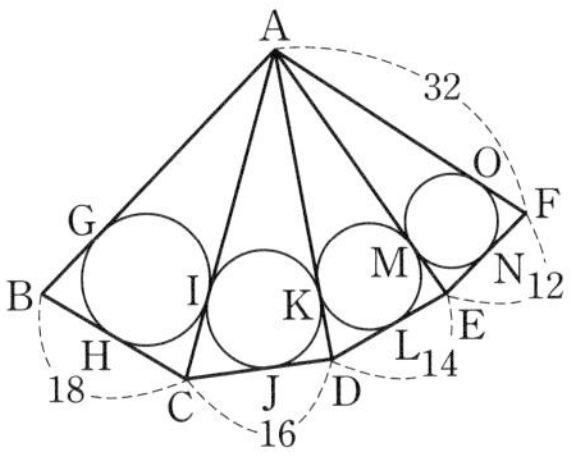

$\overline{FO}=x$라 하면

$\overline{AO}=32-x$

$\overline{FN}=\overline{FO}=x$

$\overline{EL}=\overline{EM}=\overline{EN}=12-x$

$\overline{DJ}=\overline{DK}=\overline{DL}=14-(12-x)=x+2$

$\overline{CH}=\overline{CI}=\overline{CJ}=16-(x+2)=14-x$

$\overline{BG}=\overline{BH}=18-(14-x)=x+4$

이때 $\overline{AG}=\overline{AI}=\overline{AK}=\overline{AM}=\overline{AO}=32-x$이므로

$\overline{AB}=\overline{AG}+\overline{BG}=(32-x)+(x+4)=36$

22 오른쪽 그림과 같이 원뿔의 밑면의 중심을 O, 구의 중심을 P, 점 P에서 모선 AB에 내린 수선의 발을 Q라 하자.

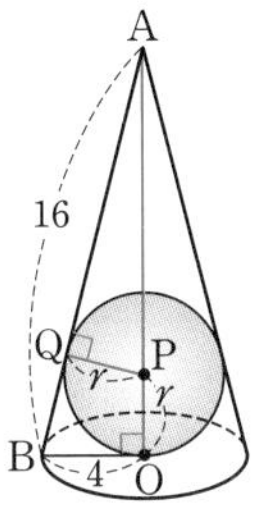

$\angle AOB=90°$이므로

$\triangle ABO$에서

$\overline{AO}=\sqrt{16^2-4^2}=4\sqrt{15}$

$\overline{BQ}=\overline{BO}=4$이므로 $\overline{AQ}=16-4=12$

구의 반지름의 길이를 r라 하면

$\overline{PQ}=\overline{PO}=r$, $\overline{AP}=4\sqrt{15}-r$이므로

$\triangle AQP$에서 $12^2+r^2=(4\sqrt{15}-r)^2$

$8\sqrt{15}r=96$ $\quad\therefore r=\dfrac{4\sqrt{15}}{5}$

따라서 구의 반지름의 길이는 $\dfrac{4\sqrt{15}}{5}$이다.

다른 풀이

$\triangle ABO$와 $\triangle APQ$에서

$\angle BAO$는 공통, $\angle AOB=\angle AQP=90°$이므로

$\triangle ABO\sim\triangle APQ$ (AA 닮음)

따라서 $\overline{AO}:\overline{AQ}=\overline{BO}:\overline{PQ}$이므로

$4\sqrt{15}:12=4:\overline{PQ}$

$\sqrt{15}\,\overline{PQ}=12$ $\quad\therefore \overline{PQ}=\dfrac{4\sqrt{15}}{5}$

따라서 구의 반지름의 길이는 $\dfrac{4\sqrt{15}}{5}$이다.

23 $\overline{EC}=\overline{BC}=15$ cm이므로

$\triangle ECD$에서 $\overline{ED}=\sqrt{15^2-12^2}=9$ (cm)

오른쪽 그림과 같이 내접원의 중심을 O, 반지름의 길이를 r cm라 하고, $\triangle ECD$와 원 O의 접점을 각각 P, Q, R라 하면

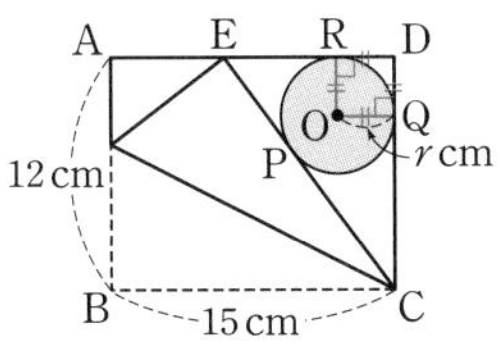

$\square ROQD$는 정사각형이므로

$\overline{QD}=\overline{RD}=r$ cm, $\overline{CP}=\overline{CQ}=(12-r)$ cm,

$\overline{EP}=\overline{ER}=(9-r)$ cm

이때 $\overline{CE}=\overline{CP}+\overline{EP}$이므로

$15=(12-r)+(9-r)$

$2r=6$ $\quad\therefore r=3$

$\therefore$ (내접원의 넓이)$=\pi\times3^2=9\pi$ (cm²)

다른 풀이

$\overline{EC}=\overline{BC}=15$ cm이므로

$\triangle ECD$에서 $\overline{ED}=\sqrt{15^2-12^2}=9$ (cm)

$\therefore \triangle ECD=\dfrac{1}{2}\times9\times12=54$ (cm²)

$\triangle ECD$의 내접원의 반지름의 길이를 r cm라 하면

$\triangle ECD=\dfrac{1}{2}r(15+12+9)=18r$ (cm²)이므로

$18r=54$ $\quad\therefore r=3$

$\therefore$ (내접원의 넓이)$=\pi\times3^2=9\pi$ (cm²)

24 오른쪽 그림과 같이 상자의 옆모습을 나타내면

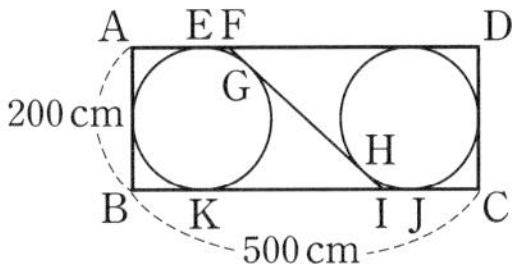

$\overline{FE}=\overline{FG}=\overline{IH}=\overline{IJ}$이고,

$\overline{IK}=\overline{IG}$이므로

$\overline{FI}=\overline{FG}+\overline{IG}=\overline{IJ}+\overline{IK}=\overline{KJ}$

$\overline{BK}$, $\overline{CJ}$는 각각 원의 반지름이므로

$\overline{BK}+\overline{CJ}=\overline{AB}=200$ (cm)

$\therefore L=\overline{FI}=\overline{KJ}$

$=\overline{BC}-(\overline{BK}+\overline{CJ})$

$=500-200=300$ (cm)

다른 풀이

$\overline{AF}=x$ cm라 하면 $\overline{BI}=\overline{DF}=(500-x)$ cm

$\square ABIF$에서 $\overline{AB}+\overline{FI}=\overline{AF}+\overline{BI}$이므로

$200+L=x+(500-x)$ $\quad\therefore L=300$ (cm)

참고 $\angle EFG=\angle HIJ$(엇각)이고

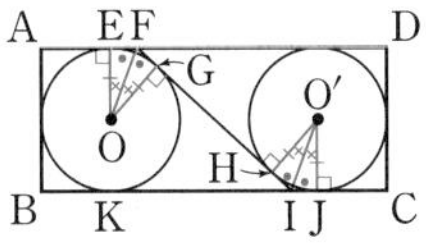

$\triangle OFE\equiv\triangle OFG$ (RHS 합동),

$\triangle O'IH\equiv\triangle O'IJ$ (RHS 합동)이므로

$\triangle OFE\equiv\triangle OFG\equiv\triangle O'IH\equiv\triangle O'IJ$

(ASA 합동)

$\therefore \overline{FE}=\overline{FG}=\overline{IH}=\overline{IJ}$

25 $\square ABCD$에서

$\overline{AB}+\overline{CD}=\overline{AD}+\overline{BC}=7+13=20$ (cm)이므로

오른쪽 그림에서

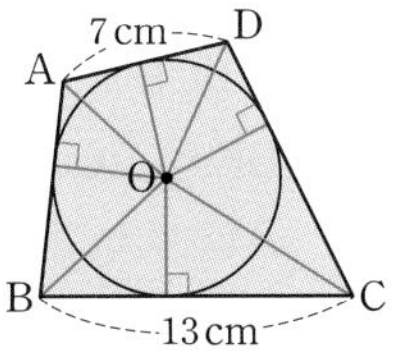

$\square ABCD$

$=\triangle OAB+\triangle OBC$

$\quad+\triangle OCD+\triangle ODA$

$=\dfrac{1}{2}\times5\times(\overline{AB}+\overline{BC}+\overline{CD}+\overline{DA})$

$=\dfrac{1}{2}\times5\times2(\overline{AD}+\overline{BC})$

$=\dfrac{1}{2}\times5\times2\times20=100$ (cm²)

26 원 O_1에 외접하는 사각형에서
$a+b=8+8=16$ ⋯ ㉠
원 O_2에 외접하는 사각형에서
$b+c=5+7=12$ ⋯ ㉡
원 O_3에 외접하는 사각형에서
$c+d=6+7=13$ ⋯ ㉢
㉠, ㉢을 변끼리 더하면
$a+b+c+d=29$
이 식에 ㉡을 대입하면
$a+12+d=29$
∴ $a+d=17$

27 $\overline{IC}=x$라 하면 $\overline{BI}=18-x$
□ABID에서
$\overline{AB}+\overline{DI}=\overline{AD}+\overline{BI}$이므로
$12+\overline{DI}=18+(18-x)$ ∴ $\overline{DI}=24-x$
△DIC에서 $x^2+12^2=(24-x)^2$
$48x=432$ ∴ $x=9$
∴ △DIC$=\dfrac{1}{2}\times 9\times 12=54$

다른 풀이

오른쪽 그림에서 □AFOE,
□FBGO는 정사각형이므로
$\overline{AE}=\overline{AF}=\overline{BF}=\overline{BG}$
$=\dfrac{1}{2}\times 12=6$

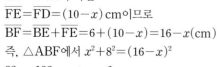

∴ $\overline{DH}=\overline{DE}=18-6=12$
$\overline{IG}=\overline{IH}=a$라 하면
$\overline{DI}=12+a$,
$\overline{CI}=18-(6+a)=12-a$
△DIC에서 $(12-a)^2+12^2=(12+a)^2$
$48a=144$ ∴ $a=3$
따라서 $\overline{CI}=12-a=12-3=9$이므로
△DIC$=\dfrac{1}{2}\times 9\times 12=54$

28 오른쪽 그림과 같이 $\overline{CE}$를 그으면
$\overline{CE}=\overline{CD}=8\,\mathrm{cm}$,
$\angle BEC=90°$이므로
△BCE에서
$\overline{BE}=\sqrt{10^2-8^2}=6(\mathrm{cm})$
$\overline{AF}=x\,\mathrm{cm}$라 하면
$\overline{FE}=\overline{FD}=(10-x)\,\mathrm{cm}$이므로
$\overline{BF}=\overline{BE}+\overline{FE}=6+(10-x)=16-x(\mathrm{cm})$
즉, △ABF에서 $x^2+8^2=(16-x)^2$
$32x=192$ ∴ $x=6$
따라서 $\overline{AF}$의 길이는 $6\,\mathrm{cm}$이다.

29 오른쪽 그림과 같이 원 O, O′의 중심에서 $\overline{BC}$에 내린 수선의 발을 각각 P, Q라 하고, 원 O′의 중심에서 $\overline{OP}$에 내린 수선의 발을 H라 하자.
원 O′의 반지름의 길이를 $r\,\mathrm{cm}$라 하면 원 O의 반지름의 길이가 $4\,\mathrm{cm}$이므로

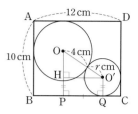

$\overline{OO'}=(4+r)\,\mathrm{cm}$, $\overline{OP}=10-4=6(\mathrm{cm})$,
$\overline{HP}=\overline{O'Q}=r\,\mathrm{cm}$, $\overline{OH}=\overline{OP}-\overline{HP}=6-r(\mathrm{cm})$,
$\overline{O'H}=\overline{PQ}=12-4-r=8-r(\mathrm{cm})$
△OHO′에서 $(6-r)^2+(8-r)^2=(4+r)^2$
$r^2-36r+84=0$
∴ $r=\dfrac{18\pm\sqrt{(-18)^2-84}}{1}=18\pm 4\sqrt{15}$
이때 $6-r>0$에서 $r<6$이므로 $r=18-4\sqrt{15}$
따라서 원 O′의 반지름의 길이는 $(18-4\sqrt{15})\,\mathrm{cm}$이다.

30 오른쪽 그림과 같이 $\overline{BC}$에 접하는 두 원의 중심을 각각 O, O′이라 하고, 접점을 각각 P, Q라 하자. 원의 반지름의 길이를 $r\,\mathrm{cm}$라 하면
$\overline{PQ}=\overline{OO'}=2r\,\mathrm{cm}$

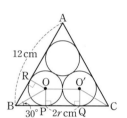

원 O와 $\overline{AB}$의 접점을 R라 하고 $\overline{OB}$를 그으면
△OBP≡△OBR (RHS 합동)이므로
$\angle OBP=\angle OBR=\dfrac{1}{2}\times 60°=30°$
△OBP에서
$\overline{BP}=\dfrac{\overline{OP}}{\tan 30°}=r\times\dfrac{3}{\sqrt 3}=\sqrt 3 r(\mathrm{cm})$
같은 방법으로 △O′CQ에서 $\overline{CQ}=\sqrt 3 r\,\mathrm{cm}$
이때 $\overline{BC}=\overline{BP}+\overline{PQ}+\overline{CQ}$이므로
$12=\sqrt 3 r+2r+\sqrt 3 r$, $2(\sqrt 3+1)r=12$
∴ $r=\dfrac{6}{\sqrt 3+1}=3(\sqrt 3-1)$
따라서 원의 반지름의 길이는 $3(\sqrt 3-1)\,\mathrm{cm}$이다.

31 **길잡이** 두 원의 반지름의 길이를 r라 하고, 현의 수직이등분선의 성질을 이용하여 $\overline{OO'}$과 $\overline{AB}$의 길이를 각각 r를 사용하여 나타내어 본다.
오른쪽 그림과 같이 두 원 O, O′에 공통인 현 AB의 수직이등분선을 그으면 그 수직이등분선 $\overline{OO'}$은 두 원의 중심을 지나므로

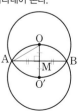

$\overline{AB}\perp\overline{OO'}$, $\overline{AM}=\overline{BM}$
원 O의 반지름의 길이를 r라 하고 $\overline{OA}$를 그으면
$\overline{OA}=\overline{OO'}=r$, $\overline{OM}=\dfrac{1}{2}\overline{OO'}=\dfrac{1}{2}r$

△OAM에서

$$\overline{\mathrm{AM}}=\sqrt{r^2-\left(\frac{1}{2}r\right)^2}=\sqrt{\frac{3}{4}r^2}=\frac{\sqrt{3}}{2}r\ (\because r>0)$$

$$\therefore \overline{\mathrm{AB}}=2\overline{\mathrm{AM}}=2\times\frac{\sqrt{3}}{2}r=\sqrt{3}\,r$$

$$\overline{\mathrm{OO'}}:\overline{\mathrm{AB}}=r:\sqrt{3}\,r=1:\sqrt{3}$$

$$\therefore \boxed{}=\sqrt{3}$$

참고 반지름의 길이가 같은 두 원에서 길이가 같은 현은 각 원의 중심으로부터 같은 거리에 있다.

32 길잡이 끈으로 감은 필통의 단면을 나타낸 후, 구하는 끈의 길이를 부채꼴의 호의 길이와 두 접선의 길이로 나누어 생각한다.

오른쪽 그림과 같이 끈으로 감은 필통의 단면인 원의 중심을 O, 두 접점을 A, B라 하면

∠PAO=∠PBO=90°,

$\overline{\mathrm{OA}}=\overline{\mathrm{OB}}=5\,\mathrm{cm}$,

$\overline{\mathrm{OP}}=5+5=10(\mathrm{cm})$이므로

△PAO에서 $\overline{\mathrm{PA}}=\sqrt{10^2-5^2}=5\sqrt{3}(\mathrm{cm})$

또 △PAO에서 $0°<\angle\mathrm{POA}<90°$이고

$\cos(\angle\mathrm{POA})=\dfrac{5}{10}=\dfrac{1}{2}$이므로 ∠POA=60°

같은 방법으로 ∠POB=60°에서

∠AOB=60°+60°=120°이므로

($\overset{\frown}{\mathrm{AQB}}$에 대한 중심각)=360°-120°=240°

$\therefore$ (구하는 끈의 길이)

$$=\overset{\frown}{\mathrm{AQB}}+\overline{\mathrm{PA}}+\overline{\mathrm{PB}}$$

$$=2\pi\times5\times\frac{240}{360}+5\sqrt{3}+5\sqrt{3}$$

$$=\frac{20}{3}\pi+10\sqrt{3}(\mathrm{cm})$$

33 길잡이 건규가 움직인 속력이 일정하므로 거리는 시간에 정비례함을 이용하여 원에 외접하는 사각형의 성질을 이용한다.

($\overline{\mathrm{AB}}$, $\overline{\mathrm{CD}}$를 지나는 데 걸린 시간)

=($\overline{\mathrm{AB}}$, $\overline{\mathrm{BC}}$, $\overline{\mathrm{CD}}$를 지나는 데 걸린 시간)

  −($\overline{\mathrm{BC}}$를 지나는 데 걸린 시간)

=60−15=45(분)

건규가 $\overline{\mathrm{AD}}$를 $\overline{\mathrm{AB}}$, $\overline{\mathrm{BC}}$, $\overline{\mathrm{CD}}$와 같은 일정한 속력으로 움직인다고 하면

$\overline{\mathrm{AB}}+\overline{\mathrm{CD}}=\overline{\mathrm{AD}}+\overline{\mathrm{BC}}$이므로

($\overline{\mathrm{AD}}$, $\overline{\mathrm{BC}}$를 지나는 데 걸리는 시간)

=($\overline{\mathrm{AB}}$, $\overline{\mathrm{CD}}$를 지나는 데 걸린 시간)=45(분)

$\therefore$ ($\overline{\mathrm{AD}}$를 지나는 데 걸리는 시간)

  =($\overline{\mathrm{AD}}$, $\overline{\mathrm{BC}}$를 지나는 데 걸리는 시간)

   −($\overline{\mathrm{BC}}$를 지나는 데 걸리는 시간)

  =45−15=30(분)

따라서 도로의 둘레를 모두 도는 데 걸리는 시간은

45×2=90(분)이고, 도로의 둘레의 길이는 6 km이므로

90 : 30=6 : $\overline{\mathrm{AD}}$ $\therefore \overline{\mathrm{AD}}=2(\mathrm{km})$

P. 42~43 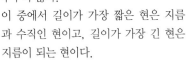 내신 **1%** 뛰어넘기

01 12개	**02** $\dfrac{\sqrt{14}}{4}$	**03** $20\sqrt{65}\pi$ m	**04** 2π
05 24 cm²	**06** $8\sqrt{6}-8$	**07** $12\sqrt{2}$	

01 길잡이 점 P를 지나는 현이 가장 짧을 때와 가장 길 때의 길이를 각각 구해 본다.

점 P를 지나는 현은 오른쪽 그림과 같이 무수히 많다.

이 중에서 길이가 가장 짧은 현은 지름과 수직인 현이고, 길이가 가장 긴 현은 지름이 되는 현이다.

오른쪽 그림과 같이 점 P를 지나면서 지름과 수직인 현 AB와 $\overline{\mathrm{OA}}$를 그으면

△AOP에서

$\overline{\mathrm{AP}}=\sqrt{15^2-9^2}=12(\mathrm{cm})$

$\therefore \overline{\mathrm{AB}}=2\overline{\mathrm{AP}}=2\times12=24(\mathrm{cm})$

또 점 P를 지나는 지름 A′B′을 그으면

$\overline{\mathrm{A'B'}}=2\times15=30(\mathrm{cm})$

즉, 24 cm≤(점 P를 지나는 현의 길이)≤30 cm이므로

이 중에서 현의 길이가 정수인 경우는 24 cm, 25 cm, …, 30 cm의 7가지이다.

그런데 점 P를 지나면서 길이가 24 cm, 30 cm인 현은 $\overline{\mathrm{AB}}$, $\overline{\mathrm{A'B'}}$으로 각각 하나뿐이지만 나머지 5가지의 경우는 길이가 같은 현이 각각 2개씩 있으므로

(구하는 현의 개수)=2+5×2=12(개)

02 길잡이 두 현의 수직이등분선의 교점 P가 주어진 원의 중심임을 알아낸 후, $\overline{\mathrm{DN}}=a$로 놓고 △PDN의 나머지 변의 길이를 a를 사용하여 나타내어 본다.

원에서 현의 수직이등분선은 그 원의 중심을 지나므로 $\overline{\mathrm{AB}}$, $\overline{\mathrm{CD}}$의 수직이등분선의 교점 P는 주어진 원의 중심이다.

$\overline{\mathrm{DN}}=a\,(a>0)$라 하면 $\overline{\mathrm{CD}}=2\overline{\mathrm{DN}}=2a$

$\overline{\mathrm{AB}}:\overline{\mathrm{CD}}=2:1$이므로

$\overline{\mathrm{AB}}=2\overline{\mathrm{CD}}=2\times2a=4a$

$\therefore \overline{\mathrm{AM}}=\dfrac{1}{2}\overline{\mathrm{AB}}=\dfrac{1}{2}\times4a=2a$

△PAB에서

$\angle\mathrm{PAB}=\angle\mathrm{PBA}=\dfrac{1}{2}\times(180°-90°)=45°$

△PAM에서

$$\overline{\mathrm{PA}}=\frac{\overline{\mathrm{AM}}}{\cos(\angle\mathrm{PAM})}=\frac{2a}{\cos45°}$$

$$=2a\times\frac{2}{\sqrt{2}}=2\sqrt{2}\,a$$

따라서 $\overline{\mathrm{PD}}=\overline{\mathrm{PA}}=2\sqrt{2}\,a$이므로

△PDN에서 $\overline{\mathrm{PN}}=\sqrt{(2\sqrt{2}\,a)^2-a^2}=\sqrt{7}\,a$

$\therefore \sin x=\dfrac{\sqrt{7}\,a}{2\sqrt{2}\,a}=\dfrac{\sqrt{14}}{4}$

03 [길잡이] 원의 중심 O에서 두 현 AB, CD에 수선을 각각 긋고, 길이가 같은 선분을 이용하여 $\overline{OA}$의 길이를 구한다.

오른쪽 그림과 같이 원의 중심을 O라 하고, 점 O에서 $\overline{AB}$, $\overline{CD}$에 내린 수선의 발을 각각 M, N이라 하면

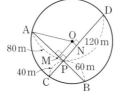

$\overline{AM}=\overline{BM}$, $\overline{CN}=\overline{DN}$이므로

$\overline{AM}=\dfrac{1}{2}\overline{AB}=\dfrac{1}{2}\times(80+60)=70\,(\text{m})$

$\overline{DN}=\dfrac{1}{2}\overline{CD}=\dfrac{1}{2}\times(40+120)=80\,(\text{m})$

$\therefore \overline{MO}=\overline{PN}=\overline{DP}-\overline{DN}=120-80=40\,(\text{m})$

$\triangle AMO$에서 $\overline{OA}=\sqrt{70^2+40^2}=10\sqrt{65}\,(\text{m})$

$\therefore$ (호수의 둘레의 길이)$=2\pi\times10\sqrt{65}=20\sqrt{65}\pi\,(\text{m})$

04 [길잡이] 주어진 세 원의 중심을 이은 삼각형이 어떤 삼각형인지 생각해 본다.

세 원 O_1, O_2, O_3의 둘레의 길이가 각각 2π, 4π, 6π이므로 반지름의 길이는 각각 1, 2, 3이다.

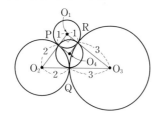

위의 그림과 같이 세 원 O_1, O_2, O_3의 접점을 각각 P, Q, R라 하고, 세 원의 중심을 꼭짓점으로 하는 삼각형 $O_1O_2O_3$을 그리면 세 변의 길이는 3, 5, 4이다.

이때 $3^2+4^2=5^2$이므로 $\triangle O_1O_2O_3$은 $\angle O_1=90°$인 직각삼각형이다.

또 세 점 P, Q, R를 지나는 원, 즉 $\triangle O_1O_2O_3$의 내접원을 O_4라 하면 $\square O_1PO_4R$는 정사각형이므로

$\overline{O_4P}=\overline{O_1P}=1$

따라서 원 O_4의 반지름의 길이가 1이므로

(원 O_4의 둘레의 길이)$=2\pi\times1=2\pi$

05 [길잡이] 접선의 길이를 문자를 사용하여 나타낸 후, 움직인 거리는 속력에 정비례함을 이용하여 접선의 길이 사이의 관계를 알아본다.

오른쪽 그림에서 $\square OECF$는 정사각형이므로

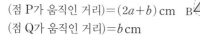

$\overline{CE}=\overline{CF}=\overline{OE}=2\,\text{cm}$

$\overline{BD}=\overline{BE}=a\,\text{cm}$,

$\overline{AD}=\overline{AF}=b\,\text{cm}$라 하면

(점 P가 움직인 거리)$=(2a+b)\,\text{cm}$

(점 Q가 움직인 거리)$=b\,\text{cm}$

점 P의 속력이 점 Q의 속력의 $\dfrac{7}{3}$배이고 움직인 시간이 같으므로 점 P가 움직인 거리는 점 Q가 움직인 거리의 $\dfrac{7}{3}$배이다.

즉, $2a+b=\dfrac{7}{3}b$에서 $b=\dfrac{3}{2}a$이므로

$\overline{AB}=a+b=a+\dfrac{3}{2}a=\dfrac{5}{2}a\,(\text{cm})$

$\overline{AC}=b+2=\dfrac{3}{2}a+2\,(\text{cm})$

$\triangle ABC$에서 $(a+2)^2+\left(\dfrac{3}{2}a+2\right)^2=\left(\dfrac{5}{2}a\right)^2$

$3a^2-10a-8=0$, $(3a+2)(a-4)=0$

$\therefore a=-\dfrac{2}{3}$ 또는 $a=4$

이때 $a>0$이므로 $a=4$

$\therefore \triangle ABC=\dfrac{1}{2}\times(a+2)\times\left(\dfrac{3}{2}a+2\right)$

$=\dfrac{1}{2}\times6\times8=24\,(\text{cm}^2)$

06 [길잡이] 두 원 O, P의 중심에서 $\overrightarrow{DT}$에 각각 수선을 그은 후, 서로 닮은 두 삼각형을 찾아 $\overline{PH}$의 길이를 먼저 구한다.

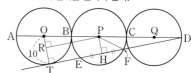

위의 그림과 같이 원 P의 중심에서 $\overrightarrow{DT}$에 내린 수선의 발을 H라 하면

$\triangle DPH$와 $\triangle DOT$에서

$\angle DHP=\angle DTO=90°$, $\angle D$는 공통이므로

$\triangle DPH\backsim\triangle DOT$ (AA 닮음)

세 원 O, P, Q의 반지름의 길이가 모두 10이므로

$\overline{OT}=10$, $\overline{DP}=30$, $\overline{DO}=50$

즉, $\overline{DP}:\overline{DO}=\overline{PH}:\overline{OT}$에서

$30:50=\overline{PH}:10$ $\therefore \overline{PH}=6$

$\overline{PF}$를 그으면 $\overline{PF}=10$이므로

$\triangle PHF$에서 $\overline{HF}=\sqrt{10^2-6^2}=8$

$\therefore \overline{EH}=\overline{HF}=8$

또 원 P의 중심에서 $\overline{OT}$에 내린 수선의 발을 R라 하면

$\overline{RT}=\overline{PH}=6$ $\therefore \overline{OR}=\overline{OT}-\overline{RT}=10-6=4$

이때 $\overline{OP}=20$이므로

$\triangle ORP$에서 $\overline{RP}=\sqrt{20^2-4^2}=8\sqrt{6}$

$\therefore \overline{TH}=\overline{RP}=8\sqrt{6}$

$\therefore \overline{TE}=\overline{TH}-\overline{EH}=8\sqrt{6}-8$

07 [길잡이] 6개의 원의 각 중심을 꼭짓점으로 하는 육각형을 직사각형과 두 삼각형으로 나누어 생각한다.

6개의 원 중에서 큰 원의 반지름의 길이는

$4\times\dfrac{1}{2}=2$

작은 원의 반지름의 길이를 x라 하면 오른쪽 그림에서

$(2+x)^2-(2-x)^2=(4-x)^2-x^2$

$16x=16$ $\therefore x=1$

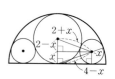

따라서 육각형의 각 변의 길이는
오른쪽 그림과 같으므로

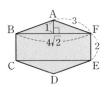

(육각형의 넓이)
$=2\triangle ABF+\square BCEF$
$=2\times\left(\dfrac{1}{2}\times4\sqrt{2}\times1\right)+4\sqrt{2}\times2$
$=12\sqrt{2}$

③ 서술형 완성하기

[과정은 풀이 참조]

1 6 cm   **2** $18\sqrt{3}$ **3** $18\sqrt{3}$ cm   **4** 26 cm

5 12 cm   **6** $(52\sqrt{10}-40\pi)$ cm^2 **7** $13\pi-12\sqrt{3}$

8 16

1 오른쪽 그림에서 원 O의 반지름의 길
이를 r cm라 하고 $\overline{OC}$를 그으면
$\overline{OA}=\overline{OC}=r$ cm이므로
$\overline{OM}=\overline{AM}-\overline{OA}=5-r$ (cm)
$\cdots$ (i)

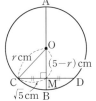

$\overline{CD}\perp\overline{OM}$이므로
$\overline{CM}=\dfrac{1}{2}\overline{CD}=\dfrac{1}{2}\times2\sqrt{5}=\sqrt{5}$ (cm)
$\triangle OCM$에서 $(5-r)^2+(\sqrt{5})^2=r^2$
$10r=30$ $\therefore r=3$ $\cdots$ (ii)
$\therefore \overline{AB}=2r=2\times3=6$ (cm) $\cdots$ (iii)

채점 기준	비율
(i) 원 O의 반지름의 길이를 r cm라 하고, $\overline{OM}$의 길이를 r를 사용하여 나타내기	30 %
(ii) r의 값 구하기	50 %
(iii) $\overline{AB}$의 길이 구하기	20 %

2 부채꼴 AOB의 중심각의 크기를 $x°$라 하면
$2\pi\times18\times\dfrac{x}{360}=2\pi\times6$ $\therefore x=120$ $\cdots$ (i)
즉, $\triangle OAB$에서
$\angle OAB=\angle OBA=\dfrac{1}{2}\times(180°-120°)=30°$
오른쪽 그림과 같이 점 O에서 $\overline{AB}$에 그
은 수선의 발을 H라 하면
$\triangle OAH$에서
$\overline{AH}=18\cos30°=18\times\dfrac{\sqrt{3}}{2}=9\sqrt{3}$

$\cdots$ (ii)
$\therefore \overline{AB}=2\overline{AH}=2\times9\sqrt{3}=18\sqrt{3}$ $\cdots$ (iii)

채점 기준	비율
(i) 부채꼴 AOB의 중심각의 크기 구하기	30 %
(ii) $\overline{AH}$의 길이 구하기	40 %
(iii) $\overline{AB}$의 길이 구하기	30 %

3 $\overline{OD}=\overline{OE}=\overline{OF}$에서 $\overline{AB}=\overline{BC}=\overline{CA}$이므로
$\triangle ABC$는 정삼각형이다. $\cdots$ (i)
$\therefore \angle BAC=60°$
오른쪽 그림과 같이 $\overline{OA}$를 그으면
$\triangle ADO\equiv\triangle AFO$ (RHS 합동)
이므로

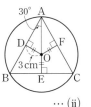

$\angle DAO=\angle FAO=\dfrac{1}{2}\times60°=30°$
$\overline{AD}=\dfrac{3}{\tan30°}=3\times\dfrac{3}{\sqrt{3}}=3\sqrt{3}$ (cm) $\cdots$ (ii)
$\therefore \overline{AB}=2\overline{AD}=2\times3\sqrt{3}=6\sqrt{3}$ (cm)
$\therefore$ ($\triangle ABC$의 둘레의 길이)$=3\times6\sqrt{3}=18\sqrt{3}$ (cm) $\cdots$ (iii)

채점 기준	비율
(i) $\triangle ABC$가 정삼각형임을 설명하기	30 %
(ii) $\overline{AD}$의 길이 구하기	40 %
(iii) $\triangle ABC$의 둘레의 길이 구하기	30 %

4 $\overline{QR}=\overline{QE}$, $\overline{PR}=\overline{PF}$이므로
($\triangle PQC$의 둘레의 길이)
$=\overline{CE}+\overline{CF}$
$=2\overline{CE}=2\overline{CF}=8$ (cm)
$\therefore \overline{CE}=\overline{CF}=4$ (cm) $\cdots$ (i)
$\overline{AD}=\overline{AF}=\overline{AC}-\overline{CF}=7-4=3$ (cm)
$\overline{BD}=\overline{BE}=\overline{BC}-\overline{CE}=10-4=6$ (cm)
$\therefore \overline{AB}=\overline{AD}+\overline{BD}=3+6=9$ (cm) $\cdots$ (ii)
$\therefore$ ($\triangle ABC$의 둘레의 길이)$=\overline{AB}+\overline{BC}+\overline{CA}$
$=9+10+7=26$ (cm) $\cdots$ (iii)

채점 기준	비율
(i) $\overline{CE}$, $\overline{CF}$의 길이 구하기	40 %
(ii) $\overline{AB}$의 길이 구하기	40 %
(iii) $\triangle ABC$의 둘레의 길이 구하기	20 %

5 오른쪽 그림과 같이 육각형
ABCDEF의 각 변과 원의 접
점을 각각 G, H, I, J, K, L이
라 하자.
$\overline{BG}=x$ cm라 하면 $\cdots$ (i)
$\overline{BH}=\overline{BG}=x$ cm
$\overline{CI}=\overline{CH}=(8-x)$ cm
$\overline{DJ}=\overline{DI}=7-(8-x)=x-1$ (cm)
$\overline{EK}=\overline{EJ}=5-(x-1)=6-x$ (cm)
$\overline{FL}=\overline{FK}=4-(6-x)=x-2$ (cm)
$\overline{AG}=\overline{AL}=10-(x-2)=12-x$ (cm) $\cdots$ (ii)
$\therefore \overline{AB}=\overline{AG}+\overline{BG}=(12-x)+x=12$ (cm) $\cdots$ (iii)

채점 기준	비율
(i) $\overline{BG}=x$ cm로 놓기	20 %
(ii) $\overline{AG}$의 길이를 x를 사용하여 나타내기	60 %
(iii) $\overline{AB}$의 길이 구하기	20 %

6 $\overline{AB}+\overline{CD}=\overline{AD}+\overline{BC}$이므로

$\overline{AB}+\overline{CD}=10+16=26\,(\text{cm})$

□ABCD가 등변사다리꼴이므로

$\overline{AB}=\overline{CD}=\dfrac{1}{2}\times26=13\,(\text{cm})$

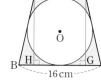

$\cdots$ (i)

두 점 A, D에서 $\overline{BC}$에 내린 수선의 발을 각각 H, G라 하면

$\overline{HG}=\overline{AD}=10\,\text{cm}$이므로

$\overline{BH}=\overline{CG}=\dfrac{1}{2}\times(16-10)=3\,(\text{cm})$

△ABH에서

$\overline{AH}=\sqrt{13^2-3^2}=4\sqrt{10}\,(\text{cm})$ $\cdots$ (ii)

따라서 원 O의 반지름의 길이는

$\dfrac{1}{2}\overline{AH}=\dfrac{1}{2}\times4\sqrt{10}=2\sqrt{10}\,(\text{cm})$이므로 $\cdots$ (iii)

(색칠한 부분의 넓이)

$=□ABCD-(\text{원 O의 넓이})$

$=\dfrac{1}{2}\times(10+16)\times4\sqrt{10}-\pi\times(2\sqrt{10})^2$

$=52\sqrt{10}-40\pi\,(\text{cm}^2)$ $\cdots$ (iv)

채점 기준	비율
(i) $\overline{AB}$, $\overline{CD}$의 길이 구하기	30 %
(ii) □ABCD의 높이 구하기	30 %
(iii) 원 O의 반지름의 길이 구하기	10 %
(iv) 색칠한 부분의 넓이 구하기	30 %

7 오른쪽 그림과 같이 원 O의 지름

$\overline{CM}$을 그으면

$\overline{AB}\perp\overline{CM}$

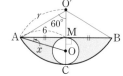

이때 $\widehat{AB}$를 일부분으로 하는 원을 O′이라 하면 현의 수직이등분선은 그 원의 중심을 지나므로 $\overline{CM}$의 연장선은 원 O′의 중심을 지난다.

$\overline{AM}=\dfrac{1}{2}\overline{AB}=\dfrac{1}{2}\times12=6$

△AOM에서

$\overline{OM}=6\tan x=6\times\dfrac{\sqrt{3}}{6}=\sqrt{3}$ $\cdots$ (i)

원 O′의 반지름의 길이를 r라 하면

$\overline{O'A}=\overline{O'C}=r$, $\overline{O'M}=r-2\sqrt{3}$

△AMO′에서

$6^2+(r-2\sqrt{3})^2=r^2$

$4\sqrt{3}r=48$ $\therefore r=4\sqrt{3}$ $\cdots$ (ii)

이때 $0°<\angle AO'M<90°$이고

$\sin(\angle AO'M)=\dfrac{\overline{AM}}{\overline{O'A}}=\dfrac{6}{4\sqrt{3}}=\dfrac{\sqrt{3}}{2}$이므로

$\angle AO'M=60°$

같은 방법으로 $\angle BO'M=60°$이므로

$\angle AO'B=60°+60°=120°$ $\cdots$ (iii)

$\therefore$ (색칠한 부분의 넓이)

$=(\text{부채꼴 AO′B의 넓이})-△ABO'-(\text{원 O의 넓이})$

$=\pi\times(4\sqrt{3})^2\times\dfrac{120}{360}$

$\qquad-\dfrac{1}{2}\times4\sqrt{3}\times4\sqrt{3}\times\sin(180°-120°)-\pi\times(\sqrt{3})^2$

$=16\pi-12\sqrt{3}-3\pi=13\pi-12\sqrt{3}$ $\cdots$ (iv)

채점 기준	비율
(i) 원 O의 반지름의 길이 구하기	30 %
(ii) $\widehat{AB}$를 일부분으로 하는 원의 반지름의 길이 구하기	20 %
(iii) $\widehat{AB}$에 대한 중심각의 크기 구하기	20 %
(iv) 색칠한 부분의 넓이 구하기	30 %

8 $\overline{AB}=x$라 하면 □ABCD의 둘레의 길이가 56이므로

$\overline{BC}=\dfrac{1}{2}\times56-x=28-x$

오른쪽 그림과 같이 두 원 O, O′과 □ABCD의 접점을 각각 G, H, I, J라 하자.

□GBHO는 정사각형이므로

$\overline{BG}=\overline{BH}=\overline{OH}=4$

$\overline{AE}=\overline{AG}=x-4$,

$\overline{CE}=\overline{CH}=(28-x)-4=24-x$이므로

$\overline{AC}=\overline{AE}+\overline{CE}$

$\qquad=(x-4)+(24-x)=20$ $\cdots$ (i)

△ABC에서 $x^2+(28-x)^2=20^2$, $x^2-28x+192=0$

$(x-12)(x-16)=0$ $\therefore x=12$ 또는 $x=16$

이때 $\overline{AB}<\overline{BC}$이므로 $x=12$

$\therefore \overline{AE}=x-4=12-4=8$

같은 방법으로 $\overline{CF}=8$ $\cdots$ (ii)

$\therefore \overline{EF}=\overline{AC}-\overline{AE}-\overline{CF}=20-8-8=4$

$\therefore □EOFO'=△EOF+△FO'E$

$\qquad=\dfrac{1}{2}\times4\times4+\dfrac{1}{2}\times4\times4=16$ $\cdots$ (iii)

채점 기준	비율
(i) $\overline{AC}$의 길이 구하기	40 %
(ii) $\overline{AE}$, $\overline{CF}$의 길이 구하기	40 %
(iii) □EOFO′의 넓이 구하기	20 %

4. 원주각

P. 48~50 개념+ 대표 문제 확인하기

1 $25°$	**2** $34°$	**3** $4\,cm$	**4** $96°$	**5** $114°$
6 $89°$	**7** $88°$	**8** ㄱ, ㄹ, ㅂ	**9** $31°$	
10 $45°$	**11** $44°$	**12** $18\sqrt{3}\,cm^2$	**13** $61°$	
14 $60°$				

1 오른쪽 그림과 같이 $\overline{OB}$를 그으면

$\angle AOB = 2\angle APB = 2 \times 40° = 80°$

이므로

$\angle BOC = 130° - 80° = 50°$

$\therefore \angle BQC = \dfrac{1}{2}\angle BOC = \dfrac{1}{2} \times 50° = 25°$

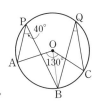

2 오른쪽 그림과 같이 $\overline{AC}$를 그으면

$\overset{\frown}{CD} = \overset{\frown}{BD}$이므로

$\angle CAD = \angle BAD = 28°$

$\overline{AB}$가 원 O의 지름이므로

$\angle ACB = 90°$

따라서 $\triangle ABC$에서

$\angle ABC = 180° - (90° + 28° + 28°) = 34°$이므로

$\angle ADC = \angle ABC = 34°$

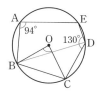

3 $\triangle PCD$에서 $\angle PDC + 20° = 80°$ $\therefore \angle PDC = 60°$

$\angle ACD : \angle BDC = \overset{\frown}{AD} : \overset{\frown}{BC}$이므로

$20° : 60° = \overset{\frown}{AD} : 12$ $\therefore \overset{\frown}{AD} = 4\,(cm)$

4 오른쪽 그림과 같이 $\overline{AD}$를 그으면 $\overset{\frown}{AB}$

의 길이는 원의 둘레의 길이의 $\dfrac{1}{3}$이므로

$\angle ADB = \dfrac{1}{3} \times 180° = 60°$

$\angle ADB : \angle CAD = \overset{\frown}{AB} : \overset{\frown}{CD}$이므로

$60° : \angle CAD = 5 : 3$ $\therefore \angle CAD = 36°$

따라서 $\overline{AC}$, $\overline{BD}$의 교점을 P라 하면 $\triangle APD$에서

$\angle x = 60° + 36° = 96°$

5 네 점 A, B, C, D가 한 원 위에 있으므로

$\angle ADB = \angle ACB = 34°$

$\triangle APC$에서

$\angle DAC = 46° + 34° = 80°$

따라서 $\triangle AQD$에서

$\angle x = 34° + 80° = 114°$

6 $\square ABCD$가 원에 내접하므로

$\angle ADC = \angle ABE = 65°$

$\therefore \angle x = 65° - 32° = 33°$

$\overline{AD}$가 원 O의 지름이므로 $\angle ABD = 90°$

7 오른쪽 그림과 같이 $\overline{BD}$를 그으면

$\square ABDE$가 원에 내접하므로

$\angle BDE = 180° - 94° = 86°$

$\angle BDC = 130° - 86° = 44°$

$\therefore \angle BOC = 2\angle BDC = 2 \times 44° = 88°$

$\triangle ABD$에서

$\angle BAD = 180° - (90° + 32°) = 58°$

$\square ABCD$에서

$\angle y = 180° - \angle BAD = 180° - 58° = 122°$

$\therefore \angle y - \angle x = 122° - 33° = 89°$

8 ㄱ. $\square ABCD$는 등변사다리꼴이므로

$\angle A = \angle D = \dfrac{1}{2} \times (360° - 70° - 70°) = 110°$

즉, $\angle A + \angle C = 110° + 70° = 180°$이므로

$\square ABCD$는 원에 내접한다.

ㄴ. $\square ABCD$는 평행사변형이므로 $\angle A = \angle C = 104°$

$\angle A + \angle C = 104° + 104° = 208° \neq 180°$

즉, $\square ABCD$는 원에 내접하지 않는다.

ㄷ. $\angle BDC = 110° - 80° = 30°$이므로

$\angle BAC \neq \angle BDC$

즉, $\square ABCD$는 원에 내접하지 않는다.

ㄹ. $\angle BAD = 180° - 80° = 100°$이므로

$\angle BAD = \angle DCE = 100°$

즉, $\square ABCD$는 원에 내접한다.

ㅁ. $\triangle ABC$에서 $\angle B = 180° - (60° + 60°) = 60°$이므로

$\angle B + \angle D = 60° + 100° = 160° \neq 180°$

즉, $\square ABCD$는 원에 내접하지 않는다.

ㅂ. $\triangle FAB$에서 $\angle ABF = 180° - (56° + 28°) = 96°$

$\triangle DAE$에서 $\angle ADE = 180° - (56° + 40°) = 84°$

즉, $\angle ABC + \angle ADC = 96° + 84° = 180°$이므로

$\square ABCD$는 원에 내접한다.

따라서 $\square ABCD$가 원에 내접하는 것은 ㄱ, ㄹ, ㅂ이다.

9 $\angle BTP = \angle BAT = 42°$이고

$\square ABTC$가 원에 내접하므로

$\angle ABT = 180° - 107° = 73°$

따라서 $\triangle BPT$에서

$\angle x + 42° = 73°$ $\therefore \angle x = 31°$

다른 풀이

$\angle ATP = \angle ACT = 107°$이므로

$\triangle APT$에서

$\angle x = 180° - (42° + 107°) = 31°$

10 $\angle ACB : \angle BAC : \angle ABC = 5 : 4 : 3$이므로

$\angle ABC = \dfrac{3}{5 + 4 + 3} \times 180° = 45°$

$\therefore \angle ACT = \angle ABC = 45°$

11 오른쪽 그림과 같이 $\overline{BC}$를 그으면
$\overline{AC}$가 원 O의 지름이므로
$\angle ABC = 90°$
$\therefore \angle CBP = 180° - (67° + 90°)$
$\qquad = 23°$
$\angle ACB = \angle ABT = 67°$이므로
$\triangle CBP$에서
$23° + \angle x = 67°$ $\therefore \angle x = 44°$

12 $\overline{AC}$가 원 O의 지름이므로
$\angle ABC = 90°$이고
$\angle CAB = \angle CBT = 30°$이므로
$\triangle ABC$에서
$\overline{AB} = 12 \cos 30° = 6\sqrt{3}\,(\text{cm})$
$\therefore \triangle ABC = \dfrac{1}{2} \times 6\sqrt{3} \times 12 \times \sin 30° = 18\sqrt{3}\,(\text{cm}^2)$

13 $\triangle FEC$는 $\overline{CE} = \overline{CF}$인 이등변삼각형이므로
$\angle FEC = \angle EFC = \dfrac{1}{2} \times (180° - 48°) = 66°$
$\therefore \angle FDE = \angle FEC = 66°$
따라서 $\triangle DEF$에서
$\angle x = 180° - (66° + 53°) = 61°$

14 $\angle BPT = \angle BAP = 62°$, $\angle CPT = \angle CDP = 58°$
$\therefore \angle CPD = 180° - (62° + 58°) = 60°$

P. 51~55 내신 5% 따라잡기

1 $23°$	**2** $(12 + 4\sqrt{3})\,\text{cm}^2$	**3** $63°$	**4** $40°$
5 3	**6** $58°$	**7** $3\sqrt{5}\pi\,\text{cm}$	**8** $75°$
9 10	**10** ④	**11** 8	**12** $50°$ **13** $108°$
14 ⑤	**15** $56°$	**16** $4\pi\,\text{cm}$ **17** $16°$	**18** $117°$

19 $\square ABDE$, $\square AFDC$, $\square BCEF$, $\square AFHE$, $\square BDHF$,
$\square DCEH$

20 $75°$	**21** $84°$	**22** $69°$	**23** $109°$
24 $12\pi\,\text{cm}^2$	**25** $2\sqrt{3}$	**26** $35°$	**27** $82.5°$
28 $(150\pi + 100)\,\text{m}^2$	**29** $15\,\text{cm}$		

1 오른쪽 그림과 같이 $\overline{BC}$를 그으면
$\angle CBD = \dfrac{1}{2} \angle COD$
$\qquad = \dfrac{1}{2} \times 78° = 39°$
$\angle ACB = \dfrac{1}{2} \angle AOB = \dfrac{1}{2} \times 32° = 16°$
따라서 $\triangle PBC$에서
$\angle x + 16° = 39°$ $\therefore \angle x = 23°$

---

2 $\triangle ABC$에서
$\angle ABC = 180° - (45° + 75°) = 60°$
오른쪽 그림과 같이 $\overline{OA}$, $\overline{OC}$를 그으면
$\angle AOB = 2\angle ACB = 2 \times 75° = 150°$,
$\angle BOC = 2\angle BAC = 2 \times 45° = 90°$,
$\angle AOC = 2\angle ABC = 2 \times 60° = 120°$
이므로
$\triangle OAB = \dfrac{1}{2} \times 4 \times 4 \times \sin(180° - 150°) = 4\,(\text{cm}^2)$
$\triangle OBC = \dfrac{1}{2} \times 4 \times 4 = 8\,(\text{cm}^2)$
$\triangle OCA = \dfrac{1}{2} \times 4 \times 4 \times \sin(180° - 120°) = 4\sqrt{3}\,(\text{cm}^2)$
$\therefore \triangle ABC = \triangle OAB + \triangle OBC + \triangle OCA$
$\qquad = 4 + 8 + 4\sqrt{3} = 12 + 4\sqrt{3}\,(\text{cm}^2)$

3 오른쪽 그림과 같이 $\overline{OA}$, $\overline{OB}$를
그으면
$\angle OAP = \angle OBP = 90°$이므로
$\square APBO$에서
$\angle AOB = 360° - (90° + 54° + 90°)$
$\qquad = 126°$
이때 $\angle AQB = \dfrac{1}{2} \times (360° - 126°) = 117°$이므로
$\square AQBO$에서
$\angle OAQ + \angle OBQ = 360° - (126° + 117°) = 117°$
$\therefore \angle PAQ + \angle PBQ$
$\quad = (90° - \angle OAQ) + (90° - \angle OBQ)$
$\quad = 180° - (\angle OAQ + \angle OBQ)$
$\quad = 180° - 117° = 63°$

4 원의 중심으로부터 같은 거리에 있는 현의 길이는 같으므로
$\overline{AB} = \overline{BC} = \overline{CA}$
즉, $\triangle ABC$는 정삼각형이므로
$\angle BA'C = \angle BAC = 60°$
이때 $\angle BCA' = 80°$이므로
$\triangle A'BC$에서
$\angle A'BC = 180° - (60° + 80°) = 40°$

5 $\triangle ABC$는 $\overline{AB} = \overline{AC}$인 이등변삼각형이므로
$\angle ABC = \angle ACB$
오른쪽 그림과 같이 $\overline{BD}$를 그으면
$\angle ADB = \angle ACB$이므로
$\angle ABC = \angle ADB$
$\triangle ABE$와 $\triangle ADB$에서
$\angle ABE = \angle ADB$,
$\angle BAE$는 공통이므로
$\triangle ABE \backsim \triangle ADB\,(\text{AA 닮음})$
즉, $\overline{AB} : \overline{AD} = \overline{AE} : \overline{AB}$이므로
$\overline{AE} = x$라 하면 $2\sqrt{3} : (x + 1) = x : 2\sqrt{3}$

$x(x+1)=12$, $x^2+x-12=0$
$(x+4)(x-3)=0$ $\quad\therefore x=-4$ 또는 $x=3$
이때 $x>0$이므로 $x=3$
따라서 $\overline{\mathrm{AE}}$의 길이는 3이다.

참고 오른쪽 그림의 원에서
$\overline{\mathrm{AB}}=\overline{\mathrm{AC}}$일 때
$\triangle\mathrm{ABE}\backsim\triangle\mathrm{ADB}\backsim\triangle\mathrm{CDE}$(AA 닮음)

6 오른쪽 그림과 같이 $\overline{\mathrm{AD}}$를 그으면
$\overline{\mathrm{AB}}$가 반원 O의 지름이므로
$\angle\mathrm{ADB}=90°$
$\angle\mathrm{CAD}=\dfrac{1}{2}\angle\mathrm{COD}$
$\qquad=\dfrac{1}{2}\times64°=32°$
따라서 $\triangle\mathrm{ADP}$에서
$\angle x+32°=90°$ $\quad\therefore \angle x=58°$

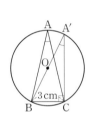

7 오른쪽 그림과 같이 $\overline{\mathrm{BO}}$의 연장선이 원
O와 만나는 점을 A′이라 하면 $\overline{\mathrm{A'B}}$가
원 O의 지름이므로 $\angle\mathrm{A'CB}=90°$
이때 $\angle\mathrm{BAC}=\angle\mathrm{BA'C}$이므로
$\tan A=\tan A'=\dfrac{3}{\overline{\mathrm{A'C}}}=\dfrac{1}{2}$
$\therefore \overline{\mathrm{A'C}}=6\,(\mathrm{cm})$
$\triangle\mathrm{A'BC}$에서 $\overline{\mathrm{A'B}}=\sqrt{3^2+6^2}=3\sqrt{5}\,(\mathrm{cm})$
따라서 원 O의 반지름의 길이는 $\dfrac{3\sqrt{5}}{2}$ cm이므로
(원 O의 둘레의 길이)$=2\pi\times\dfrac{3\sqrt{5}}{2}=3\sqrt{5}\pi\,(\mathrm{cm})$

8 $\angle\mathrm{ACB}=\angle\mathrm{ADB}=60°$이므로
$\triangle\mathrm{PBC}$에서 $\angle\mathrm{PBC}=180°-(45°+60°)=75°$
이때 $\overset{\frown}{\mathrm{BD}}=\overset{\frown}{\mathrm{CE}}$이므로 $\angle\mathrm{BAD}=\angle\mathrm{CBE}=75°$

다른 풀이
$\overset{\frown}{\mathrm{BC}}=\overset{\frown}{\mathrm{CD}}=\overset{\frown}{\mathrm{DE}}$이므로
$\angle\mathrm{BAC}=\angle\mathrm{CAD}=\angle\mathrm{DBE}=\angle a$라 하면
$\triangle\mathrm{PBQ}$에서 $\angle\mathrm{PQD}=45°+\angle a$
따라서 $\triangle\mathrm{AQD}$에서
$\angle a+(45°+\angle a)+\angle60°=180°$, $2\angle a=75°$
$\therefore \angle\mathrm{BAD}=2\angle a=75°$

9 오른쪽 그림과 같이 $\overline{\mathrm{AC}}$를 긋고
$\angle\mathrm{ACD}=\angle x$, $\angle\mathrm{BAC}=\angle y$라 하자.
$\triangle\mathrm{ACP}$에서 $\angle x+\angle y=90°$이고
$\angle x$, $\angle y$는 각각 $\overset{\frown}{\mathrm{AD}}$, $\overset{\frown}{\mathrm{BC}}$에 대한 원
주각이므로 길이가 $3\pi+7\pi=10\pi$인
호에 대한 원주각의 크기는 $90°$이다.

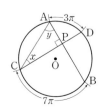

이때 모든 호에 대한 원주각의 크기의 합은 $180°$이므로
$90°:180°=10\pi:$ (원 O의 둘레의 길이)
$\therefore$ (원 O의 둘레의 길이)$=20\pi$
원 O의 반지름의 길이를 r라 하면
$2\pi r=20\pi$ $\quad\therefore r=10$
따라서 원 O의 반지름의 길이는 10이다.

다른 풀이 중심각의 크기를 이용하여 반지름의 길이 구하기
$\overset{\frown}{\mathrm{AD}}+\overset{\frown}{\mathrm{BC}}$, 즉 길이가 10π인 호에 대한 원주각의 크기가 $90°$
이므로 중심각의 크기는 $180°$이다.
이때 원 O의 반지름의 길이를 r라 하면
$2\pi r\times\dfrac{180}{360}=10\pi$ $\quad\therefore r=10$

10 오른쪽 그림과 같이 $\overset{\frown}{\mathrm{CD}}$의 길이가 원
의 둘레의 길이의 $\dfrac{1}{5}$이므로
$\angle\mathrm{CBD}=\dfrac{1}{5}\times180°=36°$
$\overset{\frown}{\mathrm{BE}}$의 길이가 원의 둘레의 길이의 $\dfrac{2}{5}$
이므로
$\angle\mathrm{BCE}=\dfrac{2}{5}\times180°=72°$
따라서 $\triangle\mathrm{BCF}$에서
$\angle\mathrm{BFE}=36°+72°=108°$

11 오른쪽 그림에서 네 점 A, B, C, D
가 한 원 위에 있으므로
$\angle\mathrm{DCA}=\angle\mathrm{DBA}$
즉, $\triangle\mathrm{BCD}\backsim\triangle\mathrm{CED}$(AA 닮음)이
므로 $\overline{\mathrm{BD}}:\overline{\mathrm{CD}}=\overline{\mathrm{CD}}:\overline{\mathrm{ED}}$에서
$(12+4):\overline{\mathrm{CD}}=\overline{\mathrm{CD}}:4$, $\overline{\mathrm{CD}}^2=64$
이때 $\overline{\mathrm{CD}}>0$이므로 $\overline{\mathrm{CD}}=8$

12 오른쪽 그림에서
$\angle\mathrm{BEC}=\angle\mathrm{BDC}=90°$이므로
네 점 B, C, D, E는 한 원 위에 있다.
이때 $\overline{\mathrm{BC}}$가 이 원의 지름이고
$\overline{\mathrm{BM}}=\overline{\mathrm{CM}}$이므로 점 M은 이 원의 중
심이다.
$\triangle\mathrm{ABD}$에서
$65°+\angle\mathrm{ABD}=90°$ $\quad\therefore \angle\mathrm{ABD}=25°$
$\therefore \angle\mathrm{EMD}=2\angle\mathrm{EBD}=2\times25°=50°$

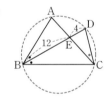

13 $\overline{\mathrm{AC}}$가 원 O의 지름이므로 $\angle\mathrm{ABC}=90°$
$\therefore \angle\mathrm{DBC}=90°-60°=30°$
$\triangle\mathrm{PBC}$에서
$30°+\angle\mathrm{PCB}=102°$ $\quad\therefore \angle\mathrm{PCB}=72°$
따라서 $\square\mathrm{ABCE}$가 원에 내접하므로
$\angle\mathrm{BAE}=180°-72°=108°$

14 오른쪽 그림과 같이 $\overline{BD}$를 그으면
$\angle CBD = \angle CAD = 38°$
$\square ABDE$가 원에 내접하므로
$\angle ABD = 180° - 100° = 80°$
$\therefore \angle ABC = \angle ABD + \angle CBD$
$\qquad = 80° + 38° = 118°$

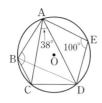

15 $\square ABCD$가 원에 내접하므로
$\angle BAQ = \angle BCD = \angle x$
$\triangle PBC$에서 $\angle PBQ = \angle x + 24°$
$\triangle AQB$에서
$44° + (\angle x + 24°) + \angle x = 180°$
$2\angle x = 112°$ $\quad \therefore \angle x = 56°$

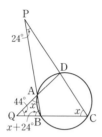

16 $\overset{\frown}{QRB}$에 대한 원주각은 $\angle QAB$이고 $\overset{\frown}{QRC}$에 대한 원주각은 $\angle QDC$이다.
오른쪽 그림과 같이 $\overline{QR}$를 그으면
$\square ABRQ$가 원에 내접하므로
$\angle QRC = \angle QAB$
따라서 $\overset{\frown}{QDC} = \overset{\frown}{QRB}$이므로
$\overset{\frown}{QRB} + \overset{\frown}{QRC} = \overset{\frown}{QDC} + \overset{\frown}{QRC}$
$\qquad = (원 P의 둘레의 길이)$
$\qquad = 2\pi \times 2 = 4\pi (\text{cm})$

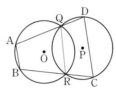

17

위의 그림에서 $\square BIJC$가 원에 내접하므로
$\angle ABC = \angle CJI = 94°$
마찬가지로 $\square ABCD$, $\square DCFE$, $\square EFGH$, $\square FKLG$가
각각 원에 내접하므로
$\angle CDE = \angle EFG = \angle GLK = 94°$
원 O_5에서 $\angle y = 2 \times \angle GLK = 2 \times 94° = 188°$
원 O_3에서 $\angle EHG = 180° - 94° = 86°$이므로
$\angle x = 2\angle EHG = 2 \times 86° = 172°$
$\therefore \angle y - \angle x = 188° - 172° = 16°$

18 $\triangle ABC \equiv \triangle ADE$이므로 $\overline{AB} = \overline{AD}$
오른쪽 그림과 같이 $\overline{BD}$를 그으면
$\triangle ABD$는 이등변삼각형이므로
$\angle ABD = \angle ADB$
$\qquad = \dfrac{1}{2} \times (180° - 54°) = 63°$
이때 $\square ABDE$가 원에 내접하므로
$\angle AED = 180° - \angle ABD = 180° - 63° = 117°$
$\therefore \angle ACB = \angle AED = 117°$

19 (i) 한 선분에 대하여 같은 쪽에 있는 두 각의 크기가 같은 경우,
$\angle AEB = \angle ADB = 90°$이므로 $\square ABDE$는 원에 내접한다.
$\angle AFC = \angle ADC = 90°$이므로 $\square AFDC$는 원에 내접한다.
$\angle BFC = \angle BEC = 90°$이므로 $\square BCEF$는 원에 내접한다.
(ii) 마주 보는 두 각의 크기의 합이 180°인 경우,
$\angle AFH + \angle AEH = 180°$이므로 $\square AFHE$는 원에 내접한다.
$\angle BFH + \angle BDH = 180°$이므로 $\square BDHF$는 원에 내접한다.
$\angle CDH + \angle CEH = 180°$이므로 $\square DCEH$는 원에 내접한다.
따라서 (i), (ii)에 의해 원에 내접하는 사각형은
$\square ABDE$, $\square AFDC$, $\square BCEF$, $\square AFHE$, $\square BDHF$, $\square DCEH$이다.

20 $\angle PCB = 125°$이므로 $\angle PCA = 180° - 125° = 55°$
$\therefore \angle APQ = \angle PCA = 55°$
$\overline{AC}$가 작은 반원의 지름이므로 $\angle APC = 90°$
$\therefore \angle CPB = 180° - (55° + 90°) = 35°$
$\triangle PCB$에서
$\angle CBP = 180° - (35° + 125°) = 20°$
$\therefore \angle APQ + \angle CBP = 55° + 20° = 75°$

21 오른쪽 그림과 같이 $\overline{AD}$를 그으면
$\angle BAD = \angle BDT' = 28°$이고
$\angle ADB = 90°$
$\triangle ADB$에서
$\angle ABD = 180° - (28° + 90°) = 62°$
$\angle ACD = \angle ABD = 62°$이고
$\overline{AC} /\!/ \overleftrightarrow{TT'}$이므로
$\angle CDT' = \angle ACD = 62°$(엇각)
$\therefore \angle PDB = 62° - 28° = 34°$
$\triangle PDB$에서
$\angle BPD = 180° - (34° + 62°) = 84°$
$\therefore \angle APC = \angle BPD = 84°$(맞꼭지각)

22 오른쪽 그림과 같이
$\angle CAD = \angle CBA = \angle a$,
$\angle ADE = \angle EDB = \angle b$
라 하면
$\triangle ABD$에서
$(42° + \angle a) + \angle a + 2\angle b = 180°$
$2(\angle a + \angle b) = 138°$ $\quad \therefore \angle a + \angle b = 69°$
따라서 $\triangle EBD$에서 $\angle x = \angle a + \angle b = 69°$

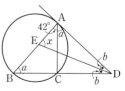

23 오른쪽 그림과 같이 $\overline{AT}$를 긋고
$\angle ATP = \angle ABT = \angle a$라 하면
$\triangle APT$에서
$\angle BAT = 33° + \angle a$
$\overline{AB} = \overline{BT}$이므로
$\angle BTA = \angle BAT = 33° + \angle a$
$\triangle ATB$에서 $(33° + \angle a) + (33° + \angle a) + \angle a = 180°$
$3\angle a = 114°$ $\therefore \angle a = 38°$
따라서 $\angle BAT = 33° + 38° = 71°$이고
$\square ATCB$가 원에 내접하므로
$\angle BCT = 180° - 71° = 109°$

24 오른쪽 그림에서
$\angle BAC = \angle BCQ = 60°$이므로
$\overline{OB}, \overline{OC}$를 그으면
$\angle BOC = 2\angle BAC = 2 \times 60° = 120°$
$\overline{OB} = \overline{OC}$이므로
$\angle OBC = \angle OCB = \dfrac{1}{2} \times (180° - 120°) = 30°$
원 O의 중심에서 $\overline{BC}$에 내린 수선의 발을 H라 하면
$\overline{BH} = \overline{CH} = \dfrac{1}{2} \times 6 = 3(\text{cm})$
이때 $\triangle OBH$에서 $\overline{OB} = \dfrac{\overline{BH}}{\cos 30°} = 3 \times \dfrac{2}{\sqrt{3}} = 2\sqrt{3}(\text{cm})$
$\therefore$ (원 O의 넓이)$= \pi \times (2\sqrt{3})^2 = 12\pi (\text{cm}^2)$

25 오른쪽 그림과 같이 $\overline{AB}$를 그으면
$\overline{AC}$가 원 O의 지름이므로
$\angle ABC = 90°$
$\triangle AHB$와 $\triangle ABC$에서
$\angle AHB = \angle ABC = 90°$,
$\angle ABH = \angle ACB$이므로
$\triangle AHB \backsim \triangle ABC$ (AA 닮음)
즉, $\overline{AH} : \overline{AB} = \overline{AB} : \overline{AC}$이므로
$4 : \overline{AB} = \overline{AB} : 6$, $\overline{AB}^2 = 24$
이때 $\overline{AB} > 0$이므로 $\overline{AB} = 2\sqrt{6}$
따라서 $\triangle ABC$에서
$\overline{BC} = \sqrt{6^2 - (2\sqrt{6})^2} = 2\sqrt{3}$

26 오른쪽 그림에서
$\angle PTA = \angle TBA = 65°$
$\overline{TA}$와 작은 원의 교점을 D라 하고
$\overline{CD}$를 그으면
$\angle TCD = \angle PTD = 65°$
$\angle ATC = \angle x$라 하면
현 AB가 작은 원의 접선이므로
$\angle DCA = \angle DTC = \angle x$
따라서 $\triangle TAC$에서
$\angle x + 45° + (\angle x + 65°) = 180°$
$2\angle x = 70°$ $\therefore \angle x = 35°$

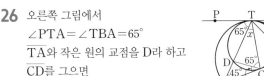

27 길잡이 먼저 11시 30분에 시침과 분침이 이루는 각의 크기를 구한 후
$\angle APB$는 $\overparen{AB}$에 대한 원주각임을 이용한다.

시침은 1분에 $0.5°$씩 움직이므로 30분 동안 시침이 움직인
각의 크기는 $0.5° \times 30 = 15°$
즉, 11시 30분에 시침과 분침이 이루는 각의 크기는
$30° \times 5 + 15° = 165°$
따라서 $\angle APB$는 $\overparen{AB}$에 대한 원주각이고, $\overparen{AB}$에 대한 중심
각의 크기가 $165°$이므로
$\angle APB = \dfrac{1}{2} \times 165° = 82.5°$

참고 **시침과 분침이 움직인 각도**

① 시침은 1시간, 즉 60분 동안 $\dfrac{360°}{12} = 30°$만큼 움직인다.

$\Rightarrow$ 시침은 1분에 $\dfrac{30°}{60} = 0.5°$만큼 움직인다.

② 분침은 1시간, 즉 60분 동안 $360°$만큼 움직인다.

$\Rightarrow$ 분침은 1분에 $\dfrac{360°}{60} = 6°$만큼 움직인다.

28 길잡이 $\angle APB = 45°$인 세 점 A, B, P를 지나는 원을 그린 후 스탠딩
구역으로 정할 수 있는 영역을 생각한다.

오른쪽 그림과 같이 세
점 A, B, P를 지나는 원
을 O라 하면
$\angle APB \geq 45°$이므로
$\angle AOB \geq 90°$이다.
$\triangle ABO$에서 $\angle AOB = 90°$일 때 $\overline{OA} = \overline{OB}$이고
$\angle OAB = \dfrac{1}{2} \times (180° - 90°) = 45°$이므로

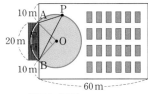

$\overline{OA} = \overline{AB} \cos 45° = 20 \times \dfrac{\sqrt{2}}{2} = 10\sqrt{2}(\text{m})$
따라서 스탠딩 구역의 넓이는 원 O의 넓이에서 $\overline{AB}$와 $\overparen{AB}$로
이루어진 활꼴의 넓이를 빼면 된다.
(원 O의 넓이)$= \pi \times (10\sqrt{2})^2 = 200\pi (\text{m}^2)$
(활꼴의 넓이)$= \pi \times (10\sqrt{2})^2 \times \dfrac{90}{360} - \dfrac{1}{2} \times 10\sqrt{2} \times 10\sqrt{2}$
$\qquad = 50\pi - 100 (\text{m}^2)$
$\therefore$ (스탠딩 구역의 넓이)$= 200\pi - (50\pi - 100)$
$\qquad\qquad\qquad\qquad = 150\pi + 100 (\text{m}^2)$

29 길잡이 원래 접시의 지름과 보조선을 그어 서로 닮은 두 삼각형을 찾아
본다.

오른쪽 그림과 같이 세 점 A, B,
C를 지나는 원 O를 그리고, $\overline{CO}$의
연장선과 원 O가 만나는 점을 D라
하자. $\overline{AD}$를 그으면 $\overline{CD}$가 원 O의
지름이므로 $\angle CAD = 90°$
$\triangle CAD$와 $\triangle CHB$에서
$\angle CAD = \angle CHB = 90°$, $\angle ADC = \angle HBC$이므로
$\triangle CAD \backsim \triangle CHB$ (AA 닮음)
즉, $\overline{CA} : \overline{CH} = \overline{CD} : \overline{CB}$이므로
$12 : 8 = \overline{CD} : 10$ $\therefore \overline{CD} = 15(\text{cm})$
따라서 원래 이 접시의 지름의 길이는 $15\,\text{cm}$이다.

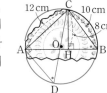

01 길잡이 한 호에 대한 원주각의 크기는 그 호에 대한 중심각의 크기의 $\dfrac{1}{2}$임을 이용하여 $\angle BAD$, $\angle BCD$의 크기를 구한다.

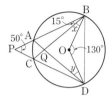

$$\angle BAD = \angle BCD$$
$$= \frac{1}{2}\angle BOD$$
$$= \frac{1}{2} \times 130° = 65°$$

$\triangle BPC$에서
$$50° + \angle PBC = 65°$$
$$\therefore \angle PBC = 15°$$

$\overline{BD}$를 그으면 $\triangle ODB$에서
$$\angle OBD + \angle ODB = 180° - 130° = 50°$$

따라서 $\triangle ADB$에서
$$\angle BAD + (\angle y + \angle ODB) + (15° + \angle x + \angle OBD) = 180°$$
$$65° + \angle x + \angle y + 15° + 50° = 180°$$
$$\therefore \angle x + \angle y = 50°$$

02 길잡이 반원에 대한 원주각을 이용하여 $\overline{BC}$, $\overline{CD}$의 길이를 구하고, $\square ABCD$의 넓이를 이용하여 $\overline{AC}$의 길이를 구한다.

$\overline{BD}$가 원 O의 지름이므로
$$\angle BAD = \angle BCD = 90°$$
$\triangle ABD$에서
$$\overline{BD} = \sqrt{6^2 + 8^2} = 10\,(\text{cm})$$
$\overline{BC} = a$ cm라 하면
$\triangle BCD$에서
$$a^2 + a^2 = 10^2,\ a^2 = 50$$
이때 $a > 0$이므로 $a = 5\sqrt{2}$
$$\square ABCD = \triangle ABD + \triangle BCD$$
$$= \left(\frac{1}{2} \times 6 \times 8\right) + \left(\frac{1}{2} \times 5\sqrt{2} \times 5\sqrt{2}\right)$$
$$= 24 + 25$$
$$= 49\,(\text{cm}^2) \qquad \cdots \text{㉠}$$
이고 $\overline{BC} = \overline{CD}$이므로
$$\angle BAC = \angle CAD = \frac{1}{2}\angle BAD = \frac{1}{2} \times 90° = 45°$$
$\overline{AC} = x$ cm라 하면
$$\square ABCD = \triangle ABC + \triangle ACD$$
$$= \left(\frac{1}{2} \times 6 \times x \times \sin 45°\right) + \left(\frac{1}{2} \times x \times 8 \times \sin 45°\right)$$
$$= \frac{3\sqrt{2}}{2}x + 2\sqrt{2}x$$
$$= \frac{7\sqrt{2}}{2}x\,(\text{cm}^2) \qquad \cdots \text{㉡}$$

㉠, ㉡에서 $49 = \dfrac{7\sqrt{2}}{2}x$　$\therefore x = 7\sqrt{2}$

따라서 $\overline{AC}$의 길이는 $7\sqrt{2}$ cm이다.

03 길잡이 $\overparen{AB} + \overparen{CD} = \overparen{BC} + \overparen{AD}$이므로 $\overparen{AB} + \overparen{CD}$의 길이는 원 O의 둘레의 길이의 $\dfrac{1}{2}$임을 이용한다.

$\overparen{AB} + \overparen{CD} = \overparen{BC} + \overparen{AD}$이므로 $\overparen{AB} + \overparen{CD}$의 길이는 원 O의 둘레의 길이의 $\dfrac{1}{2}$이다.

오른쪽 그림과 같이 현 CD와 길이가 같은 현 BE를 그으면 $\overparen{BE} = \overparen{CD}$이므로 $\overparen{AE}$의 길이는 원 O의 둘레의 길이의 $\dfrac{1}{2}$이다.

즉, $\overline{AE}$는 원 O의 지름이므로
$$\angle ABE = 90°$$
$\triangle ABE$에서 $\overline{AE} = \sqrt{12^2 + 16^2} = 20$

따라서 원 O의 반지름의 길이는 $\dfrac{1}{2} \times 20 = 10$이므로
(색칠한 부분의 넓이) = (반원 O의 넓이) − $\triangle ABE$
$$= \frac{1}{2} \times \pi \times 10^2 - \frac{1}{2} \times 12 \times 16$$
$$= 50\pi - 96$$

04 길잡이 한 원에서 호의 길이는 그 호에 대한 원주각의 크기에 정비례하고, 모든 호에 대한 원주각의 크기의 합은 180°임을 이용한다.

오른쪽 그림과 같이 $\overline{AC}$, $\overline{AD}$, $\overline{BC}$를 그으면

(원의 둘레의 길이)
$$= 2\pi \times 9 = 18\pi\,(\text{cm})$$이므로
$$\angle ACB = (\overparen{AB}\text{에 대한 원주각의 크기})$$
$$= \frac{4\pi}{18\pi} \times 180° = 40°$$
$$\angle CAD = (\overparen{CD}\text{에 대한 원주각의 크기})$$
$$= \frac{6\pi}{18\pi} \times 180° = 60°$$

$\angle ABC = \angle x$라 하면
$\triangle BCP$에서 $\angle BCP = \angle x - 40°$
$\angle ADC = \angle ABC = \angle x$이므로
$\triangle ACD$에서
$$60° + (40° + \angle x - 40°) + \angle x = 180°$$
$$2\angle x = 120°\qquad \therefore \angle x = 60°$$
따라서 $\angle ABC = \angle CAD = 60°$이므로
$$\overparen{AC} = \overparen{CD} = 6\pi\ \text{cm}$$

다른 풀이
$(\overparen{AB}$에 대한 원주각의 크기$) = \angle ACB = 40°$
$(\overparen{CD}$에 대한 원주각의 크기$) = \angle CAD = 60°$
$(\overparen{AC}$에 대한 원주각의 크기$) = \angle ABC = \angle x$
$(\overparen{BD}$에 대한 원주각의 크기$) = \angle BCD = \angle x - 40°$
이때 모든 호에 대한 원주각의 크기의 합은 180°이므로
$$40° + 60° + \angle x + (\angle x - 40°) = 180°,\ 2\angle x = 120°$$
$$\therefore \angle x = 60°$$
따라서 $\angle ABC = \angle CAD = 60°$이므로
$$\overparen{AC} = \overparen{CD} = 6\pi\ \text{cm}$$

05 길잡이 △AOC≡△BOD임을 이용하여 □AOPB, □PODC가 원에 내접하는 사각형임을 알아낸다.

오른쪽 그림의
△AOC와 △BOD에서
$\overline{OA}=\overline{OB}$, $\overline{OC}=\overline{OD}$,
∠AOC=∠BOD=80°
이므로
△AOC≡△BOD
(SAS 합동)

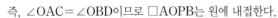

즉, ∠OAC=∠OBD이므로 □AOPB는 원에 내접한다.

∴ ∠APO=∠ABO=$\frac{1}{2}$×(180°-30°)=75°

또 ∠OCA=∠ODB이므로 □PODC도 원에 내접한다.

∴ ∠OPD=∠OCD=$\frac{1}{2}$×(180°-30°)=75°

∴ ∠APD=∠APO+∠OPD=75°+75°=150°

06 길잡이 △OBP가 이등변삼각형이고, 반원 O'에 대한 원주각의 크기가 90°임을 이용한다.

오른쪽 그림에서 $\overline{OP}=\overline{OB}$이므로
△OBP에서
∠OPB=∠OBP=20°
∴ ∠AOP=20°+20°=40°
$\overline{OP}$와 원 O'의 교점을 R라 하고
$\overline{QR}$를 그으면 ∠PQR=90°
∠RQO=∠a라 하면 ∠RPQ=∠RQO=∠a이므로
△PQO에서 ∠a+(90°+∠a)+40°=180°
2∠a=50°   ∴ ∠a=25°
∴ ∠AQP=180°-(90°+25°)=65°

07 길잡이 △ABC가 직각삼각형이므로 삼각비를 이용하여 다른 변의 길이를 구한다.

$\overline{BC}$가 반원의 지름이므로 ∠BAC=90°
$\overline{AD}=\overline{AC}$이므로
∠ADC=∠ACD=$\frac{1}{2}$×(180°-90°)=45°
이때 ∠BDE=180°-(120°+45°)=15°이고
∠DCE=∠BDE=15°이므로
∠ACB=45°+15°=60°
△ABC에서 $\overline{AC}$=6cos60°=3(cm)

∴ △ABC=$\frac{1}{2}$×6×3×sin60°=$\frac{9\sqrt{3}}{2}$(cm²)

P. 58~59 **④ 서술형 완성하기**

[과정은 풀이 참조]

1 $24\pi-36\sqrt{3}$	**2** 70°	**3** 98°	**4** 207°
5 85°	**6** 44°	**7** (1) 평행사변형 (2) 4 cm	
8 73°			

---

1 △APC에서 ∠PAC+50°=80°
∴ ∠PAC=30°   … (i)
$\overline{OB}$를 그으면
∠BOC=2∠BAC=2×30°=60°   … (ii)

∴ (색칠한 부분의 넓이)
=(부채꼴 BOC의 넓이)-△OBC
=$\pi\times12^2\times\dfrac{60}{360}-\dfrac{1}{2}\times12\times12\times\sin60°$
=$24\pi-36\sqrt{3}$ … (iii)

채점 기준	비율
(i) ∠PAC의 크기 구하기	30%
(ii) ∠BOC의 크기 구하기	30%
(iii) 색칠한 부분의 넓이 구하기	40%

2 오른쪽 그림과 같이
$\overline{AE}$, $\overline{CE}$를 그으면   … (i)
$\overparen{AD}=\overparen{CD}$이므로
∠AED=∠CED=∠x라 하고,
$\overparen{BE}=\overparen{CE}$이므로
∠BCE=∠CAE=∠y라 하자.
△AEC에서 ∠y+2∠x+(∠y+40°)=180°
∴ ∠x+∠y=70°   … (ii)
따라서 △CNE에서
∠CNM=∠x+∠y=70°   … (iii)

채점 기준	비율
(i) $\overline{AE}$, $\overline{CE}$ 긋기	40%
(ii) ∠CED+∠BCE의 크기 구하기	40%
(iii) ∠CNM의 크기 구하기	20%

다른 풀이

$\overparen{AB}$에 대한 원주각의 크기는 40°이고 모든 호에 대한 원주각의 크기의 합은 180°이므로 $\overparen{AC}$, $\overparen{BC}$에 대한 원주각의 크기의 합은
180°-40°=140°   … (i)
이때 $\overparen{AD}=\overparen{CD}$, $\overparen{BE}=\overparen{CE}$이므로
$\overparen{BE}$, $\overparen{CD}$에 대한 원주각의 크기의 합은
$\dfrac{1}{2}$×140°=70°   … (ii)
따라서 $\overline{CE}$를 그으면 △CNE에서
∠CNM=∠BCE+∠CED
=($\overparen{BE}$, $\overparen{CD}$에 대한 원주각의 크기의 합)
=70°   … (iii)

채점 기준	비율
(i) $\overparen{AC}$, $\overparen{BC}$에 대한 원주각의 크기의 합 구하기	30%
(ii) $\overparen{BE}$, $\overparen{CD}$에 대한 원주각의 크기의 합 구하기	40%
(iii) ∠CNM의 크기 구하기	30%

3 $\overparen{AE}=\overparen{DE}$이므로

$\angle ABE=\angle DCE=\angle a$라 하면 $\cdots$ (i)

□ABCD가 원에 내접하므로

$\angle ADC=180°-\angle ABC$

$=180°-(\angle a+82°)$

$=98°-\angle a$ $\cdots$ (ii)

따라서 △CDF에서

$\angle EFD=\angle FDC+\angle DCF$

$=\angle ADC+\angle DCE$

$=(98°-\angle a)+\angle a=98°$ $\cdots$ (iii)

채점 기준	비율
(i) $\angle ABE=\angle DCE$임을 설명하기	30 %
(ii) $\angle ABE=\angle a$라 할 때, $\angle ADC$를 $\angle a$를 사용하여 나타내기	40 %
(iii) $\angle EFD$의 크기 구하기	30 %

4 $\overparen{ABC}$의 길이는 원의 둘레의 길이의 $\dfrac{1}{4}$이므로

$\angle ADC=\dfrac{1}{4}\times180°=45°$ $\cdots$ (i)

□ABCD가 원에 내접하므로

$\angle ABC=180°-45°=135°$ $\cdots$ (ii)

$\overparen{BCD}$의 길이는 원의 둘레의 길이의 $\dfrac{2}{5}$이므로

$\angle BAD=\dfrac{2}{5}\times180°=72°$ $\cdots$ (iii)

$\therefore \angle DCE=\angle BAD=72°$ $\cdots$ (iv)

$\therefore \angle ABC+\angle DCE=135°+72°=207°$ $\cdots$ (v)

채점 기준	비율
(i) $\angle ADC$의 크기 구하기	20 %
(ii) $\angle ABC$의 크기 구하기	20 %
(iii) $\angle BAD$의 크기 구하기	20 %
(iv) $\angle DCE$의 크기 구하기	20 %
(v) $\angle ABC+\angle DCE$의 크기 구하기	20 %

5 오른쪽 그림과 같이 $\overline{AD}$를 그으면

□ABCD가 원에 내접하므로

$\angle BAD=180°-\angle BCD$

$=180°-95°=85°$ $\cdots$ (i)

△ABD와 △ACE에서

$\overline{AB}=\overline{AC}$, $\overline{BD}=\overline{CE}$,

$\angle ABD=\angle ACE$($\overparen{AD}$에 대한 원주각)이므로

△ABD≡△ACE (SAS 합동) $\cdots$ (ii)

$\therefore \angle CAE=\angle BAD=85°$ $\cdots$ (iii)

채점 기준	비율
(i) $\overline{AD}$를 그어 $\angle BAD$의 크기 구하기	40 %
(ii) △ABD≡△ACE임을 설명하기	40 %
(iii) $\angle CAE$의 크기 구하기	20 %

6 오른쪽 그림과 같이 $\overline{PQ}$를 그으면

$\angle APQ=\angle QAB$,

$\angle BPQ=\angle QBA$ $\cdots$ (i)

△ABP에서

$\angle APB+(42°+\angle QAB)$

$+(50°+\angle QBA)=180°$

$\angle APB+(42°+\angle APQ)+(50°+\angle BPQ)=180°$

$2\angle APB+92°=180°$ $\quad\therefore \angle APB=44°$ $\cdots$ (ii)

채점 기준	비율
(i) $\overline{PQ}$를 그어 $\angle APQ=\angle QAB$, $\angle BPQ=\angle QBA$임을 설명하기	40 %
(ii) $\angle APB$의 크기 구하기	60 %

7 (1) $\overline{BG}$가 원 O의 지름이므로 $\angle BAG=\angle BCG=90°$

이때 $\angle BAG=\angle BEC=90°$이므로 $\overline{AG}\,\|\,\overline{EC}$

또 $\angle BDA=\angle BCG=90°$이므로 $\overline{AD}\,\|\,\overline{GC}$

따라서 □AFCG는 평행사변형이다. $\cdots$ (i)

(2) □AFCG는 평행사변형이므로

$\overline{GC}=\overline{AF}=8\,cm$ $\cdots$ (ii)

△BCG에서 $\overline{BO}=\overline{GO}$, $\overline{BH}=\overline{CH}$이므로 삼각형의 두 변의 중점을 연결한 선분의 성질에 의해

$\overline{OH}=\dfrac{1}{2}\overline{GC}=\dfrac{1}{2}\times8=4\,(cm)$ $\cdots$ (iii)

채점 기준	비율
(i) □AFCG가 평행사변형임을 설명하기	40 %
(ii) $\overline{GC}$의 길이 구하기	20 %
(iii) $\overline{OH}$의 길이 구하기	40 %

8 오른쪽 그림과 같이 두 원의 공통인 접선 $\overleftrightarrow{PQ}$를 그으면

$\angle DAC=\angle DCP$

$=\angle ECQ$

$=\angle EFC=34°$(엇각)

이므로 $\overline{AD}\,\|\,\overline{EF}$ $\cdots$ (i)

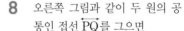

$\angle FET=\angle x$라 하면

$\angle DAB=\angle FET=\angle x$(동위각)

□ABCD가 원에 내접하므로

$\angle BCE=\angle DAB=\angle x$

$\overline{AD}\,\|\,\overline{BC}$이므로

$\angle ADC=\angle BCE=\angle x$(동위각) $\cdots$ (ii)

이때 $\angle CEB=\angle CFE=34°$이므로

△AED에서 $\angle x+34°+\angle x=180°$

$2\angle x=146°$ $\quad\therefore \angle x=73°$

따라서 $\angle FET$의 크기는 73°이다. $\cdots$ (iii)

채점 기준	비율
(i) $\overline{AD}\,\|\,\overline{EF}$임을 설명하기	40 %
(ii) $\angle DAB=\angle BCE=\angle ADC$임을 설명하기	40 %
(iii) $\angle FET$의 크기 구하기	20 %

5. 대푯값과 산포도

P. 62~63 개념+ 문제 확인하기

1 11	**2** 평균: 21회, 중앙값: 23.5회, 최빈값: 3회		
3 1.2 mm	**4** 7	**5** ③	**6** ㄱ, ㄴ, ㅁ
7 166 cm	**8** 5	**9** $\sqrt{9.4}$시간	**10** ②

1 a, b, c, d의 평균이 12이므로

$\dfrac{a+b+c+d}{4}=12$ ∴ $a+b+c+d=48$

따라서 7, a, b, c, d, 11의 평균은

$\dfrac{7+a+b+c+d+11}{6}=\dfrac{7+48+11}{6}=\dfrac{66}{6}=11$

2 변량을 작은 값부터 크기순으로 나열하면 다음과 같다.

(단위: 회)

3, 3, 11, 12, 19, 23, 24, 27, 30, 31, 33, 36

(평균)

$=\dfrac{3+3+11+12+19+23+24+27+30+31+33+36}{12}$

$=\dfrac{252}{12}=21$(회)

중앙값은 6번째와 7번째 변량의 평균이므로

(중앙값)$=\dfrac{23+24}{2}=23.5$(회)

윗몸 일으키기 횟수가 3회인 학생이 2명으로 가장 많으므로

(최빈값)$=3$회

3 (평균)$=\dfrac{1.4+1.8+0.6+1.5+x+0.5+0.8+2}{8}$

$\qquad=\dfrac{8.6+x}{8}=1.2$

이므로 $8.6+x=9.6$ ∴ $x=1$

변량을 작은 값부터 크기순으로 나열하면

0.5, 0.6, 0.8, 1, 1.4, 1.5, 1.8, 2

중앙값은 4번째와 5번째 변량의 평균이므로

(중앙값)$=\dfrac{1+1.4}{2}=1.2$(mm)

4 x를 제외한 6개의 변량 중에서 8점은 3개이고, 다른 변량은 각각 1개이므로 최빈값은 x의 값에 관계없이 8점이다.

이때 평균과 최빈값이 같으므로

(평균)$=\dfrac{8+6+10+x+8+9+8}{7}=8$에서

$49+x=56$ ∴ $x=7$

5 ③ 800과 같이 다른 변량에 비해 매우 큰 값, 즉 극단적인 값이 있으므로 이 자료는 평균을 대푯값으로 사용하기에 적절하지 않다.

6 ㄴ. (편차)=(변량)−(평균)에서 편차가 0이면 (변량)=(평균) 이다.

ㄷ. 편차의 절댓값이 클수록 그 변량은 평균에서 멀리 떨어 져 있다.

ㄹ. 표준편차는 분산의 음이 아닌 제곱근이다.

따라서 옳은 것은 ㄱ, ㄴ, ㅁ이다.

7 편차의 총합은 0이므로

$(-5)+6+x+9+(-8)=0$

$x+2=0$ ∴ $x=-2$

이때 (편차)=(변량)−(평균)에서

(변량)=(평균)+(편차)이므로

(민재의 키)$=168+(-2)=166$(cm)

8 평균이 9권이므로

$\dfrac{5+12+x+8+9+11}{6}=9$

$45+x=54$ ∴ $x=9$

각 변량의 편차를 차례로 구하면

−4권, 3권, 0권, −1권, 0권, 2권이므로

(분산)$=\dfrac{(-4)^2+3^2+0^2+(-1)^2+0^2+2^2}{6}=\dfrac{30}{6}=5$

9 남학생 90명의 표준편차가 4시간이므로

남학생: {(편차)²의 총합}$=90\times4^2=1440$

여학생 110명의 표준편차가 2시간이므로

여학생: {(편차)²의 총합}$=110\times2^2=440$

3학년 전체 학생의 수면 시간의 분산은

$\dfrac{1440+440}{90+110}=\dfrac{1880}{200}=9.4$

∴ (표준편차)$=\sqrt{9.4}$(시간)

> **참고** (분산)$=\dfrac{\{(편차)^2의\ 총합\}}{(변량의\ 개수)}$이므로
>
> {(편차)²의 총합}=(변량의 개수)×(분산)이다.

이때 (편차)²={(각 변량)−(평균)}²이고, 두 집단의 평균이 서로 같으므로 두 집단 전체의 (편차)²의 총합은 각 집단에서의 (편차)²의 총합을 더한 것과 같다.

10 ①, ⑤ 각 반의 학생 수를 알 수 없으므로 (편차)²의 총합도 비교할 수 없다.

② 2반의 한문 성적의 표준편차가 가장 작으므로 한문 성적 이 가장 고른 반은 2반이다.

③ 4반은 6반보다 한문 성적의 표준편차가 더 작으므로 산 포도가 더 작다.

④ 5반의 한문 성적의 평균이 가장 크므로 한문 성적이 가 장 우수한 반은 5반이다.

따라서 옳은 것은 ②이다.

1 3 : 2	**2** 96	**3** 69 kg, 73 kg	**4** 20개
5 ②	**6** ㄴ, ㄷ	**7** ④	**8** 8	**9** 22
10 (17, 20), (19, 17)		**11** 30	**12** ②, ⑤
13 56, 66	**14** $2\sqrt{2}$분	**15** $\sqrt{3.5}$	**16** ⑤	**17** 58
18 ②	**19** -8	**20** 63	**21** $\sqrt{10}$회	**22** $\sqrt{2}$
23 ③	**24** $2m$, $4s^2$	**25** ㄱ, ㄹ	**26** 6, 6
27 성실 회원		**28** 핫도그, 호떡	

1 남자와 여자의 인구수를 각각 x명, y명이라 하면

$\dfrac{40x+35y}{x+y}=38$, $40x+35y=38x+38y$

$2x=3y$ $\therefore x=\dfrac{3}{2}y$

$\therefore x:y=\dfrac{3}{2}y:y=3:2$

2 끈 4개의 길이의 평균이 12 cm이므로

$\dfrac{a+12+16+b}{4}=12$ $\therefore a+b=20$

또 4개의 정사각형의 넓이의 평균이 9.5 cm²이므로

$\left(\dfrac{a}{4}\right)^2+\left(\dfrac{12}{4}\right)^2+\left(\dfrac{16}{4}\right)^2+\left(\dfrac{b}{4}\right)^2=4\times 9.5$

$\dfrac{a^2}{16}+\dfrac{b^2}{16}+25=38$ $\therefore a^2+b^2=208$

이때 $(a+b)^2=a^2+b^2+2ab$이므로

$20^2=208+2ab$, $2ab=192$ $\therefore ab=96$

3 전학을 간 두 학생의 몸무게를 각각 x kg, $(x+4)$ kg이라 하면 학생 40명의 몸무게의 총합은 $40\times 52=2080$(kg)이므로

$\dfrac{2080-(x+x+4)}{38}=51$

$2x=138$ $\therefore x=69$

따라서 전학을 간 두 학생의 몸무게는 각각 69 kg, 73 kg이다.

4 14개를 기록한 학생을 제외한 나머지 학생 7명의 턱걸이 개수의 총합을 A개라 하고, 14개를 x로 잘못 보았다고 하면 (잘못 구한 평균)=(실제 평균)+0.75이므로

$\dfrac{A+x}{8}=\dfrac{A+14}{8}+0.75$

$A+x=A+14+6$ $\therefore x=20$

따라서 턱걸이 개수를 20개로 잘못 보았다.

5 남학생의 봉사 활동 시간의 평균, 중앙값, 최빈값을 각각 구하면

(평균) $=\dfrac{2\times 1+3\times 1+4\times 3+5\times 4+6\times 4+7\times 2}{1+1+3+4+4+2}$

 $=\dfrac{75}{15}=5$(시간)

남학생의 봉사 활동 시간의 중앙값은 변량을 작은 값부터 크기순으로 나열할 때, 8번째 변량이므로

(중앙값)=5시간

남학생은 봉사 활동 시간이 5시간, 6시간인 학생 수가 4명으로 가장 많으므로

(최빈값)=5시간, 6시간

여학생의 봉사 활동 시간의 평균, 중앙값, 최빈값을 각각 구하면

(평균) $=\dfrac{2\times 2+3\times 3+4\times 5+5\times 3+6\times 2}{2+3+5+3+2}$

 $=\dfrac{60}{15}=4$(시간)

여학생의 봉사 활동 시간의 중앙값은 변량을 작은 값부터 크기순으로 나열할 때, 8번째 변량이므로

(중앙값)=4시간

여학생은 봉사 활동 시간이 4시간인 학생 수가 5명으로 가장 많으므로

(최빈값)=4시간

ㄱ. 봉사 활동 시간의 평균은 남학생이 5시간, 여학생이 4시간으로 서로 다르다.

ㄴ. 봉사 활동 시간의 중앙값은 남학생이 5시간, 여학생이 4시간으로 남학생이 여학생보다 크다.

ㄷ. 봉사 활동 시간의 최빈값은 남학생이 5시간, 6시간으로 2개이고, 여학생이 4시간으로 1개이다.

따라서 옳은 것은 ㄴ이다.

6 ㄱ. (기존 평균) $=\dfrac{(10개의 변량의 총합)}{10}$

이때 변량 a를 추가하면

(평균) $=\dfrac{(10개의 변량의 총합)+a}{11}$

즉, 평균은 추가한 변량 a의 값에 따라 변할 수도 있다.

ㄴ. 기존 자료의 중앙값은 5번째와 6번째 변량의 평균인 $\dfrac{13+13}{2}=13$이다.

한 개의 변량을 추가하여 변량을 작은 값부터 크기순으로 나열할 때, 6번째 변량은 항상 13이므로 중앙값은 13으로 변하지 않는다.

ㄷ. 13은 4개이고, 다른 변량은 각각 1개이므로 한 개의 변량을 추가하더라도 최빈값은 13으로 변하지 않는다.

따라서 옳은 것은 ㄴ, ㄷ이다.

7 기존 회원 8명의 키를 작은 값부터 크기순으로 나열할 때, 5번째 변량을 x cm라 하면 중앙값이 163 cm이므로

$\dfrac{160+x}{2}=163$ $\therefore x=166$

따라서 키가 168 cm인 신입 회원을 포함하여 회원 9명의 키를 작은 값부터 크기순으로 나열하면 5번째 변량은 166 cm이므로 중앙값은 166 cm이다.

8 주어진 자료에서 전체 회원 수는 15명이므로 중앙값은 변량을 작은 값부터 크기순으로 나열할 때, 8번째 변량이다.

∴ (중앙값)$=(20+a)$세

$(20+a)$세, $(20+b)$세를 제외한 변량 중에서 25세와 36세는 2개이고, 다른 변량은 각각 1개이다.

이때 $2 \le a \le b \le 5$이고 최빈값은 한 개이므로 최빈값은 22세 또는 25세이다.

(ⅰ) 최빈값이 22세, 즉 $a=b=2$인 경우

(중앙값)$=20+a=20+2=22$(세)

그런데 중앙값과 최빈값이 같으므로 주어진 조건을 만족시키지 않는다.

(ⅱ) 최빈값이 25세, 즉 $b=5$인 경우

중앙값이 최빈값보다 2세만큼 작으므로

(중앙값)$=25-2=23$(세)

즉, $20+a=23$에서 $a=3$

따라서 (ⅰ), (ⅱ)에 의해 $a=3$, $b=5$이므로

$a+b=3+5=8$

9 5가 2개이고 8이 1개이므로 최빈값이 8이 되려면 a, b, c 중 적어도 두 수는 8이어야 한다.

a, b, c 중 8이 아닌 수를 x라 하고, x를 제외한 7개의 변량을 작은 값부터 크기순으로 나열하면

4, 5, 5, 8, 8, 8, 10

이때 중앙값이 7이므로 x는 5와 8 사이에 있어야 한다.

즉, (중앙값)$=\dfrac{x+8}{2}=7$에서 $x+8=14$ ∴ $x=6$

∴ $a+b+c=8+8+6=22$

10 자료 A의 중앙값이 17이므로 $a=17$ 또는 $b=17$이다.

(ⅰ) $a=17$, $b=17$일 때, 두 자료 A, B를 섞은 전체 자료의 중앙값은 $\dfrac{17+17}{2}=17$이므로 주어진 조건을 만족시키지 않는다.

(ⅱ) $a=17$, $b \ne 17$일 때, 두 자료 A, B를 섞은 전체 자료의 중앙값이 18이 되려면 $b-1$은 17과 21 사이에 있어야 하므로

$\dfrac{17+(b-1)}{2}=18$ ∴ $b=20$

(ⅲ) $a \ne 17$, $b=17$일 때, 두 자료 A, B를 섞은 전체 자료의 중앙값이 18이 되려면 a는 17과 21 사이에 있어야 하므로

$\dfrac{17+a}{2}=18$ ∴ $a=19$

따라서 (ⅰ)~(ⅲ)에 의해 순서쌍 (a, b)는 (17, 20), (19, 17)이다.

11 7개의 변량을 작은 값부터 크기순으로 나열할 때

㈏에서 중앙값이 40이므로 4번째 변량이 40이고,

㈐에서 최빈값이 35이므로 변량 중 35는 적어도 2개이다.

즉, 2번째와 3번째 변량이 각각 35이다.

㈑에서 가장 큰 수가 50이므로 7번째 변량이 50이다.

5번째와 6번째 변량을 각각 a, b라 하고, 7개의 변량을 작은 값부터 크기순으로 나열하면

x, 35, 35, 40, a, b, 50

㈎에서 평균이 41이므로 x의 값이 최소가 되려면 a, b의 값이 최대가 되어야 한다.

이때 최빈값이 35이므로 $x \ne 35$이면 35를 제외한 다른 변량들은 서로 다른 수이어야 한다.

즉, $a=48$, $b=49$일 때 x의 값이 최소가 되므로

(평균)$=\dfrac{x+35+35+40+48+49+50}{7}=41$에서

$x+257=287$ ∴ $x=30$

따라서 x의 최솟값은 30이다.

12 ② 선거에서 가장 많이 득표한 학생을 학급 회장으로 뽑으므로 최빈값을 이용하여 뽑는다.

⑤ 자료에 극단적인 값이 있으므로 평균보다 중앙값이 자료의 중심 경향을 더 잘 나타내어 준다.

따라서 대푯값의 이용이 적절하지 않은 것은 ②, ⑤이다.

13 편차의 총합은 0이므로

$(2x^2-2)+(2x+3)+(-2)+(-x^2-7)+(-x+2)=0$

$x^2+x-6=0$, $(x+3)(x-2)=0$

∴ $x=-3$ 또는 $x=2$

(변량)$=$(평균)$+$(편차)이고 평균이 50이므로

(ⅰ) $x=-3$일 때, $A=50+\{2 \times (-3)^2-2\}=66$

(ⅱ) $x=2$일 때, $A=50+(2 \times 2^2-2)=56$

따라서 (ⅰ), (ⅱ)에 의해 변량 A의 값은 56 또는 66이다.

14 편차의 총합은 0이므로

$2+(x-2)+(-x)+(-1)+(2x+7)=0$

$2x+6=0$ ∴ $x=-3$

즉, B, C, E의 편차는 각각 -5분, 3분, 1분이므로

(분산)$=\dfrac{2^2+(-5)^2+3^2+(-1)^2+1^2}{5}=\dfrac{40}{5}=8$

∴ (표준편차)$=\sqrt{8}=2\sqrt{2}$(분)

15 평균이 7이므로

$\dfrac{a+4+7+10+b+8+5+6}{8}=7$

$a+b+40=56$ ∴ $a+b=16$

또 중앙값이 7이므로 a, b 중 적어도 하나는 7이어야 한다.

(ⅰ) $a=7$이면 $b=9$ (ⅱ) $b=7$이면 $a=9$

이때 $a>b$이므로 $a=9$, $b=7$

각 변량의 편차를 차례로 구하면

2, -3, 0, 3, 0, 1, -2, -1이므로

(분산)$=\dfrac{2^2+(-3)^2+0^2+3^2+0^2+1^2+(-2)^2+(-1)^2}{8}$

$=\dfrac{28}{8}=3.5$

∴ (표준편차)$=\sqrt{3.5}$

16 연속하는 5개의 홀수를
$a-4$, $a-2$, a, $a+2$, $a+4$ (a는 $a \geq 5$인 홀수)라 하면

$$(평균) = \frac{(a-4)+(a-2)+a+(a+2)+(a+4)}{5}$$

$$= \frac{5a}{5} = a$$

각 변량의 편차를 차례로 구하면
-4, -2, 0, 2, 4이므로

$$(분산) = \frac{(-4)^2+(-2)^2+0^2+2^2+4^2}{5} = \frac{40}{5} = 8$$

17 달걀 D의 무게를 $x\,g$이라 하면 달걀 5개의 무게는 차례로
$(x+13)\,g$, $(x-6)\,g$, $(x-3)\,g$, $x\,g$, $(x-9)\,g$이다.

$$\therefore (평균) = \frac{(x+13)+(x-6)+(x-3)+x+(x-9)}{5}$$

$$= \frac{5x-5}{5} = x-1\,(g)$$

각 변량의 편차를 차례로 구하면
$14\,g$, $-5\,g$, $-2\,g$, $1\,g$, $-8\,g$이므로

$$(분산) = \frac{14^2+(-5)^2+(-2)^2+1^2+(-8)^2}{5} = \frac{290}{5} = 58$$

18 첫째 날의 팔 굽혀 펴기 횟수를 x회라 하면 5일 동안의 팔 굽혀 펴기 횟수는 차례로
x회, $(x+a)$회, $(x+2a)$회, $(x+3a)$회, $(x+4a)$회이다.
최고 기록과 최저 기록의 차가 12회이므로
$(x+4a)-x=12$, $4a=12$ $\therefore a=3$
즉, 5일 동안의 팔 굽혀 펴기 횟수는 차례로
x회, $(x+3)$회, $(x+6)$회, $(x+9)$회, $(x+12)$회이므로

$$(평균) = \frac{x+(x+3)+(x+6)+(x+9)+(x+12)}{5}$$

$$= \frac{5x+30}{5} = x+6\,(회)$$

각 변량의 편차를 차례로 구하면
-6회, -3회, 0회, 3회, 6회이므로

$$(분산) = \frac{(-6)^2+(-3)^2+0^2+3^2+6^2}{5} = \frac{90}{5} = 18$$

$$\therefore (표준편차) = \sqrt{18} = 3\sqrt{2}\,(회)$$

19 편차의 총합은 0이므로
$(-3)+x+y+0+1=0$에서
$x+y=2$
표준편차가 $\sqrt{6}$회, 즉 분산이 6이므로

$$\frac{(-3)^2+x^2+y^2+0^2+1^2}{5} = 6$$에서

$x^2+y^2=20$
이때 $(x+y)^2=x^2+y^2+2xy$이므로
$2^2=20+2xy$, $2xy=-16$ $\therefore xy=-8$

20 12개의 모서리의 길이의 평균이 4이므로

$$\frac{4a+4b+4c}{12}=4$$에서 $4a+4b+4c=48$

$\therefore a+b+c=12$ $\cdots$ ㉠
표준편차가 $\sqrt{5}$, 즉 분산이 5이므로

$$\frac{4\{(a-4)^2+(b-4)^2+(c-4)^2\}}{12}=5$$에서

$(a-4)^2+(b-4)^2+(c-4)^2=15$
$a^2+b^2+c^2-8(a+b+c)+48=15$
$a^2+b^2+c^2-8\times12+48=15$ ($\because$ ㉠)
$\therefore a^2+b^2+c^2=63$

21 두 변량을 -5회, $+5$회로 잘못 기록했으므로 전체 변량의 총합에는 변화가 없다.
즉, 학생 10명의 실제 줄넘기 횟수의 평균은 75회이다.
잘못 기록한 두 변량을 제외한 나머지 8개의 변량의 (편차)^{2}의 총합을 A라 하면 분산이 12이므로

$$\frac{(-5)^2+2^2+A}{10}=12$$ $\therefore A=91$

따라서 나머지 8개의 변량의 (편차)^{2}의 총합이 91이므로

$$(실제 줄넘기 횟수의 분산) = \frac{0^2+(-3)^2+91}{10} = \frac{100}{10} = 10$$

$$\therefore (실제 줄넘기 횟수의 표준편차) = \sqrt{10}\,(회)$$

22 $x_1+x_2+x_3+\cdots+x_{2020}=4040$이고
$x_1^2+x_2^2+x_3^2+\cdots+x_{2020}^2=12120$이므로

$$(평균) = \frac{x_1+x_2+x_3+\cdots+x_{2020}}{2020} = \frac{4040}{2020} = 2$$

$(분산)$

$$= \frac{(x_1-2)^2+(x_2-2)^2+(x_3-2)^2+\cdots+(x_{2020}-2)^2}{2020}$$

$$= \frac{(x_1^2+x_2^2+\cdots+x_{2020}^2)-4(x_1+x_2+\cdots+x_{2020})+4\times2020}{2020}$$

$$= \frac{12120-4\times4040+8080}{2020} = \frac{4040}{2020} = 2$$

$$\therefore (표준편차) = \sqrt{2}$$

23 소정이의 5개 과목의 시험 성적을 각각 a점, b점, c점, d점, e점이라 하면

$$(소정이의 성적의 평균) = \frac{a+b+c+d+e}{5} = 70\,(점)$$

$(소정이의 성적의 분산)$

$$= \frac{(a-70)^2+(b-70)^2+(c-70)^2+(d-70)^2+(e-70)^2}{5}$$

$$= 4^2 = 16$$

희영이의 5개 과목의 시험 성적은 각각 $(a+10)$점, $(b+10)$점, $(c+10)$점, $(d+10)$점, $(e+10)$점이므로
$(희영이의 성적의 평균)$

$$= \frac{(a+10)+(b+10)+(c+10)+(d+10)+(e+10)}{5}$$

$$= \frac{(a+b+c+d+e)+50}{5} = \frac{a+b+c+d+e}{5}+10$$

$$= 70+10 = 80\,(점)$$

(희영이의 성적의 분산)

$$=\frac{(a+10-80)^2+(b+10-80)^2+(c+10-80)^2+(d+10-80)^2+(e+10-80)^2}{5}$$

$$=\frac{(a-70)^2+(b-70)^2+(c-70)^2+(d-70)^2+(e-70)^2}{5}$$

$$=16$$

$\therefore$ (희영이의 성적의 표준편차)$=\sqrt{16}=4$(점)

따라서 희영이의 시험 성적의 평균과 표준편차의 합은
$80+4=84$(점)

다른 풀이

(희영이의 각 과목 성적)=(소정이의 각 과목 성적)+10(점)
이므로

(희영이의 성적의 평균)=(소정이의 성적의 평균)+10
$$=70+10=80\text{(점)}$$

(희영이의 성적의 표준편차)=(소정이의 성적의 표준편차)
$$=4\text{점}$$

따라서 희영이의 시험 성적의 평균과 표준편차의 합은
$80+4=84$(점)

참고 변화된 변량의 평균과 분산, 표준편차 구하기

n개의 변량 x_1, x_2, $\cdots$, x_n의 평균이 m이고 표준편차가 s일 때,

n개의 변량 ax_1+b, ax_2+b, $\cdots$, ax_n+b(a, b는 상수)에 대하여

(1) (평균)$=am+b$
(2) (분산)$=a^2s^2$ ┐
(3) (표준편차)$=|a|s$ ┘ 각 변량에 일정한 수를 더하거나 빼는 것은 분산과 표준편차에 영향을 주지 않는다.

24 자료 A는 1, 2, 3, $\cdots$, 50이므로

(평균)$=\dfrac{1+2+3+\cdots+50}{50}=m$ $\cdots$ ㉠

(분산)$=\dfrac{(1-m)^2+(2-m)^2+\cdots+(50-m)^2}{50}=s^2$ $\cdots$ ㉡

자료 B는 2, 4, 6, $\cdots$, 100이고 자료 A의 각 변량에 2를 곱한 것과 같으므로

(평균)$=\dfrac{(2\times1)+(2\times2)+(2\times3)+\cdots+(2\times50)}{50}$

$\qquad=\dfrac{2\times(1+2+3+\cdots+50)}{50}=2m$ ($\because$ ㉠)

(분산)$=\dfrac{(2-2m)^2+(4-2m)^2+\cdots+(100-2m)^2}{50}$

$\qquad=\dfrac{4\{(1-m)^2+(2-m)^2+\cdots+(50-m)^2\}}{50}$

$\qquad=4s^2$ ($\because$ ㉡)

다른 풀이

(자료 B의 각 변량)=2×(자료 A의 각 변량)이므로

(자료 B의 평균)=2×(자료 A의 평균)$=2m$

(자료 B의 분산)$=2^2\times$(자료 A의 분산)$=4s^2$

25 (재석이의 춤 연습 시간의 평균)

$$=\frac{2\times3+3\times8+4\times10+5\times6+6\times4}{31}=\frac{124}{31}=4\text{(시간)}$$

(효리의 춤 연습 시간의 평균)

$$=\frac{2\times10+3\times4+4\times2+5\times6+6\times9}{31}=\frac{124}{31}=4\text{(시간)}$$

(지훈이의 춤 연습 시간의 평균)

$$=\frac{2\times6+3\times6+4\times7+5\times6+6\times6}{31}=\frac{124}{31}=4\text{(시간)}$$

즉, 세 사람의 춤 연습 시간의 평균은 4시간으로 모두 같다.

ㄱ. 세 사람의 춤 연습 시간의 최빈값을 각각 구하면
재석: 4시간, 효리: 2시간, 지훈: 4시간
이므로 최빈값이 가장 작은 사람은 효리이다.

ㄴ. 세 사람의 한 달 동안의 춤 연습 시간은 124시간으로 모두 같다.

ㄷ. 평균 4시간 가까이에 있는 변량이 많을수록 춤 연습 시간이 고르므로 춤 연습 시간이 가장 고른 사람은 재석이다.

ㄹ, ㅁ. 평균 4시간을 중심으로 멀리 있는 변량이 많을수록 춤 연습 시간의 기복이 심하고 표준편차도 크므로 춤 연습 시간의 기복이 가장 심하고 표준편차도 가장 큰 사람은 효리이다.

따라서 옳은 것은 ㄱ, ㄹ이다.

26 **길잡이** 두 조각의 넓이를 각각 x, $12-x$로 놓고, 다섯 장의 종이의 넓이의 평균을 구한 후 표준편차의 의미를 생각해 본다.

종이 D를 넓이가 각각 x, $12-x$인 두 조각으로 자르면 다섯 장의 종이의 넓이는 5, 6, 7, x, $12-x$이므로

(평균)$=\dfrac{5+6+7+x+(12-x)}{5}=\dfrac{30}{5}=6$

이때 x, $12-x$와 평균 6의 차가 작을수록 표준편차는 작아지므로 $x=6$, $12-x=6$일 때 다섯 장의 종이의 넓이의 표준편차가 최소가 된다.

따라서 잘라서 만든 두 조각의 넓이는 각각 6, 6이다.

27 **길잡이** 두 동호회 A, B의 회원들이 남긴 댓글 수의 평균이 서로 같음을 이용하여 통합 동호회에서 댓글 수의 평균과 표준편차를 구한다.

두 동호회 A, B의 회원들이 남긴 댓글 수의 평균은 67개로 같으므로 통합 동호회에서 댓글 수의 평균은 67개이다.

$\therefore a=67$

두 동호회 A, B의 회원들이 남긴 댓글 수의 표준편차는 각각 $3\sqrt{2}$개, $\sqrt{13}$개이므로

(통합 동호회에서 댓글 수의 분산)

$$=\frac{180\times(3\sqrt{2})^2+120\times(\sqrt{13})^2}{180+120}=\frac{4800}{300}=16$$

$\therefore$ (통합 동호회에서 댓글 수의 표준편차)$=\sqrt{16}=4$(개)

$\therefore b=4$

따라서 통합 동호회의 회원 등급은 오른쪽 표와 같으므로 이전 동호회에서 남긴 댓글 수가 69개인 회원은 통합 동호회에서 성실 회원이다.

등급	댓글 수(개)
최우수 회원	75^{이상}
우수 회원	71^{이상}~75^{미만}
성실 회원	63^{이상}~71^{미만}
일반 회원	59^{이상}~63^{미만}
신입 회원	59^{미만}

28 [길잡이] 청소년 1일 권장 열량을 이용하여 오전, 오후 간식으로 섭취할 열량의 합을 구해 본다.

오전, 오후 간식으로 섭취할 열량을 각각 a kcal, b kcal라 하면 청소년 1일 권장 열량이 2700 kcal이므로 지후가 내일 하루 동안 먹을 음식의 열량의 합은

$660+a+650+b+790=2700$

$\therefore a+b=600$

주어진 그래프에서 열량의 합이 600 kcal가 되는 두 간식은 도넛과 붕어빵, 핫도그와 호떡이고, 두 간식의 열량은 각각 350 kcal와 250 kcal, 270 kcal와 330 kcal이다.

이때 지후가 하루 동안 한 번의 식사나 간식으로 섭취하는 열량의 평균은

$\dfrac{2700}{5}=540(\text{kcal})$

이므로 두 간식을 선택했을 때 열량의 편차와 (편차)²의 총합을 구하면 다음 표와 같다.

간식	편차(kcal)	(편차)²의 총합
도넛, 붕어빵	$-190, -290$	120200
핫도그, 호떡	$-270, -210$	117000

열량을 최대한 고르게 하려면 열량의 분산이 작아야 하므로 (편차)²의 총합이 작아야 한다.

따라서 지후가 선택해야 하는 간식은 핫도그와 호떡이다.

P. 69 내신 **1%** 뛰어넘기

01 32	**02** 309	**03** 40	**04** 440개

01 [길잡이] 가장 큰 변량과 가장 작은 변량을 각각 a, b로 놓고, 서로 다른 10개의 변량의 총합에 대한 식을 세운다.

가장 큰 변량을 a, 가장 작은 변량을 b라 하고, a, b를 포함한 서로 다른 10개의 변량의 총합을 S라 하면

$(a+9\times30)+(b+9\times35)=2S$에서

$a+b+585=2S$

이때 $a+b=55$이므로

$2S=55+585=640$ $\therefore S=320$

$\therefore$ (서로 다른 10개의 변량의 평균) $=\dfrac{S}{10}=\dfrac{320}{10}=32$

[다른 풀이]

$a+9\times30=b+9\times35$

$\therefore a-b=45$ $\cdots$ ㉠

이때 $a+b=55$이므로 $\cdots$ ㉡

㉠, ㉡을 연립하여 풀면 $a=50$, $b=5$

$\therefore$ (서로 다른 10개의 변량의 평균) $=\dfrac{50+9\times30}{10}=\dfrac{320}{10}$

$=32$

---

02 [길잡이] x를 제외한 변량을 작은 값부터 크기순으로 나열한 후 x의 범위를 적절히 나누어 $f(x)$의 값을 구해 본다.

x를 제외한 변량을 작은 값부터 크기순으로 나열하면

2, 4, 5, 6, 12, 13, 18, 24

x의 범위를 나누어 생각하면

(i) $x\leq6$일 때, 주어진 자료의 중앙값은 6이므로

$f(x)=6$

(ii) $6<x<12$일 때, 주어진 자료의 중앙값은 x이므로

$f(x)=x$

(iii) $x\geq12$일 때, 주어진 자료의 중앙값은 12이므로

$f(x)=12$

$\therefore f(1)+f(2)+f(3)+\cdots+f(30)$

$=6\times6+7+8+9+10+11+12\times19$

$=309$

---

03 [길잡이] 주어진 평균과 표준편차를 이용하여 $x_1+x_2+\cdots+x_{10}$의 값과 $x_1{}^2+x_2{}^2+\cdots+x_{10}{}^2$의 값을 구한 후, 큰 정사각형의 넓이는 10개의 정사각형의 넓이의 합과 같음을 이용한다.

x_1, x_2, $\cdots$, x_{10}의 평균이 11이므로

$\dfrac{x_1+x_2+\cdots+x_{10}}{10}=11$

$\therefore x_1+x_2+\cdots+x_{10}=110$ $\cdots$ ㉠

표준편차가 $\sqrt{39}$, 즉 분산이 39이므로

$\dfrac{(x_1-11)^2+(x_2-11)^2+\cdots+(x_{10}-11)^2}{10}=39$

$(x_1{}^2+x_2{}^2+\cdots+x_{10}{}^2)-22(x_1+x_2+\cdots+x_{10})+10\times121=390$

$(x_1{}^2+x_2{}^2+\cdots+x_{10}{}^2)-22\times110+1210=390$ ($\because$ ㉠)

$\therefore x_1{}^2+x_2{}^2+\cdots+x_{10}{}^2=1600$

큰 정사각형의 넓이는 10개의 정사각형의 넓이의 합과 같으므로 큰 정사각형의 한 변의 길이를 a라 하면

$a^2=x_1{}^2+x_2{}^2+\cdots+x_{10}{}^2=1600$

이때 $a>0$이므로 $a=\sqrt{1600}=40$

따라서 큰 정사각형의 한 변의 길이는 40이다.

---

04 [길잡이] 생산 라인의 수를 n개, 각 생산 라인에서 평소에 하루 동안 제조하는 제품의 수를 각각 a_1개, a_2개, $\cdots$, a_n개라 하고, 주문량이 많아지기 전과 후의 평균과 분산에 대한 식을 각각 세운다.

생산 라인의 수를 n개, 각 생산 라인에서 평소에 하루 동안 제조하는 제품의 수를 각각 a_1개, a_2개, $\cdots$, a_n개라 하면 평균이 180개이므로

$\dfrac{a_1+a_2+\cdots+a_n}{n}=180$

표준편차가 3개, 즉 분산이 9이므로

$\dfrac{(a_1-180)^2+(a_2-180)^2+\cdots+(a_n-180)^2}{n}=9$

주문량이 많아진 후 각 생산 라인에서 하루 동안 제조하는 제품의 수는 각각 (xa_1+y)개, (xa_2+y)개, $\cdots$, (xa_n+y)개이고 평균이 400개이므로

$$(평균) = \frac{(xa_1+y)+(xa_2+y)+\cdots+(xa_n+y)}{n}$$

$$= \frac{x(a_1+a_2+\cdots+a_n)+ny}{n}$$

$$= x \times \frac{a_1+a_2+\cdots+a_n}{n}+y$$

$$= 180x+y=400 \qquad \cdots \text{㉠}$$

주문량이 많아진 후의 표준편차가 6개, 즉 분산이 36이므로

$$(분산) = \frac{1}{n} \times \{(xa_1+y-180x-y)^2+(xa_2+y-180x-y)^2$$
$$+\cdots+(xa_n+y-180x-y)^2\}$$

$$= \frac{x^2(a_1-180)^2+x^2(a_2-180)^2+\cdots+x^2(a_n-180)^2}{n}$$

$$= x^2 \times \frac{(a_1-180)^2+(a_2-180)^2+\cdots+(a_n-180)^2}{n}$$

$$= 9x^2 = 36 \qquad \cdots \text{㉡}$$

㉡에서 $x^2=4$

이때 $x>0$이므로 $x=2$

㉠에서 $180 \times 2+y=400$ $\qquad \therefore y=40$

따라서 평소에 하루 동안 200개를 제조하던 생산 라인에서 주문량이 많아진 후 제조하는 제품의 수는

$2 \times 200+40=440$(개)

다른 풀이 x, y의 값 구하기

(주문량이 많아진 후의 각 변량)$=x \times$(각 변량)$+y$(개)이므로

(주문량이 많아진 후의 평균)$=x \times$(평균)$+y$
$$= 180x+y(개)$$

즉, $180x+y=400$ $\qquad \cdots \text{㉠}$

(주문량이 많아진 후의 표준편차)$=x \times$(표준편차)$=3x$

즉, $3x=6$에서 $x=2$

$x=2$를 ㉠에 대입하면 $180 \times 2+y=400$ $\qquad \therefore y=40$

1 ④ 2 56 kg 3 45 % 4 5곳 5 ③, ⑤
6 ②, ⑤ 7 ③

1 ㄴ, ㄷ 2 7 : 9 3 5명 4 ④ 5 ②
6 35 % 7 70 8 175점 9 ⑤ 10 ③
11 ② 12 ㄴ, ㄹ 13 108분, 40분 14 b
15 D, A, C, B

1 ④ 필기 점수와 실기 점수가 모 두 90점 이상인 학생은 오른 쪽 그림에서 색칠한 부분(경 계선 포함)에 속하므로 3명이 다.

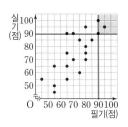

2 키가 160 cm 이상인 학생은 오른 쪽 그림에서 색칠한 부분(경계선 포함)에 속한다.
∴ (몸무게의 평균)
$$=\frac{50+55+55+60+60}{5}$$
$$=56(kg)$$

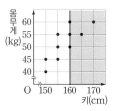

3 TV 시청 시간이 학습 시간보다 적은 학생은 오른쪽 그림에서 색 칠한 부분(경계선 제외)에 속하므 로 9명이다.
∴ $\frac{9}{20}\times100=45(\%)$

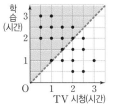

4 두 평점의 합이 8점 이상인 음식점 은 오른쪽 그림에서 색칠한 부분(경 계선 포함)에 속하므로 5곳이다.

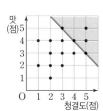

5 ③ 상관관계가 없는 산점도는 ㄷ, ㄹ이다.
⑤ ㄷ은 상관관계가 없고, 겨울철 기온과 난방비 사이에는 음의 상관관계가 있다.

6 ①, ④ 양의 상관관계
②, ⑤ 음의 상관관계
③ 상관관계가 없다.
이때 주어진 산점도는 음의 상관관계를 나타내므로 주어진 그림과 같은 모양이 되는 것은 ②, ⑤이다.

7 ③ B는 D보다 키도 크고 발의 크기도 크다.

1 ㄱ. 작년에 관람한 영화 편수의 최빈값은 10편, 올해 관람한 영화 편수의 최빈값은 8편으로 서로 다르다.
ㄴ. 작년에 관람한 영화 편수의 중앙값은 $\frac{8+8}{2}=8$(편),
올해 관람한 영화 편수의 중앙값은 $\frac{8+8}{2}=8$(편)으로 서로 같다.
ㄷ. 작년보다 올해 더 많은 영화를 관람한 학생은 오른쪽 그림에 서 색칠한 부분(경계선 제외) 에 속하므로 이들의 올해 관람 한 영화 편수의 평균은
$$\frac{4+8+8+10+12+12}{6}=9(편)$$
따라서 옳은 것은 ㄴ, ㄷ이다.

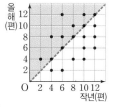

2 작년 기록이 올해 기록보다 좋은 학생은 오른쪽 그림에서 색칠한 부분(경계선 제외)에 속하므로 7명이 다.
∴ $a=7$
올해 기록이 작년 기록보다 좋은 학생은 오른쪽 그림에서 빗금 친 부분(경계선 제외)에 속하 므로 9명이다.
∴ $b=9$
∴ $a : b=7 : 9$

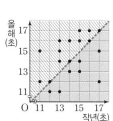

3 작년 기록과 올해 기록의 평균이 13초 이하, 즉 작년 기록과 올해 기록의 합이 $13\times2=26$(초) 이하 인 학생은 오른쪽 그림에서 색칠 한 부분(경계선 포함)에 속하므로 5명이다.

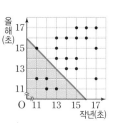

4 오른쪽 그림과 같이 오른쪽 위로 향하는 대각선을 그었을 때, 대각 선에서 멀리 떨어져 있을수록 $|x-y|$의 값이 크다.
└→ 두 변량의 차
따라서 $x=17$, $y=12$일 때 $|x-y|$의 값이 최대이므로 $|x-y|$의 최댓값은 $|17-12|=5$이다.

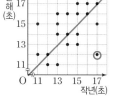

5 1차와 2차 중 적어도 한 번은 성
공한 자유투 개수가 8개 이상인
학생은 오른쪽 그림에서 색칠한
부분(경계선 포함)에 속하므로
6명이다.

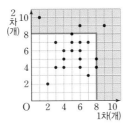

6 1차와 2차에 성공한 자유투 개
수의 차가 3개 이상인 학생은
오른쪽 그림에서 색칠한 부분
(경계선 포함)에 속하므로 7명
이다.

$\therefore \dfrac{7}{20} \times 100 = 35(\%)$

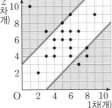

7 과학 성적이 가장 많이 향상된
학생의 1학기 성적은 40점, 2
학기 성적은 90점이므로
$90 - 40 = 50$(점)이 향상되었다.

$\therefore a = 50$

과학 성적이 20점 이상 떨어진
학생은 오른쪽 그림에서 색칠
한 부분(경계선 포함)에 속하므로 4명이다.

즉, 전체의 $\dfrac{4}{20} \times 100 = 20(\%)$이므로 $b = 20$

$\therefore a + b = 50 + 20 = 70$

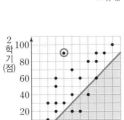

8 상위 20 % 이내에 드는 학생
수는

$30 \times \dfrac{20}{100} = 6$(명)

이때 상위 6명의 학생을 나타내
는 점은

$(90, 100), (100, 80),$
$(90, 90), (90, 80), (80, 90), (80, 80)$

따라서 수학 경시대회에 출전하는 학생들의 중간고사와 기
말고사 수학 성적의 합의 평균은

$\dfrac{190 + 180 + 180 + 170 + 170 + 160}{6} = 175$(점)

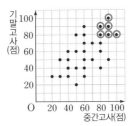

9 ①, ②, ④ 두 가게 모두 여름철 평균 기온이 높아질수록 휴
대용 선풍기 판매량도 대체로 늘어나므로 두 변량 사이
에는 양의 상관관계가 있다.
③ 어느 가게가 휴대용 선풍기 판매량이 더 많은지는 알 수
없다.
⑤ 가게 A보다 가게 B의 산점도의 점들이 한 직선에서 더
멀리 흩어져 있으므로 가게 B가 가게 A보다 더 약한 상
관관계를 보인다.
따라서 옳은 것은 ⑤이다.

10 ①, ②, ④, ⑤ 음의 상관관계
③ 양의 상관관계
따라서 가뭄 일수와의 상관관계가 나머지 넷과 다른 하나는
③이다.

11 오른쪽 그림과 같이 오른쪽 위로 향
하는 대각선을 그었을 때, 대각선에
서 멀리 떨어져 있을수록 좌우 시력
의 차이가 크다.
따라서 A, B, C, D, E 중에서 좌우
시력의 차이가 가장 큰 학생은 B이다.

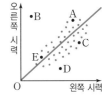

12 ㄱ. 생활비와 저축액 사이에는 음의 상관관계가 있다.
ㄴ. A는 B보다 생활비와 저축액이 모두 많으므로 A는 B보
다 생활비와 저축액의 평균이 크다.
ㄷ. D는 생활비의 지출이 크고 저축을 적게 하는 편이다.
ㄹ. 오른쪽 그림과 같이 $\overline{CE}$의 중점
을 M이라 하면 C와 E의 생활비
의 평균은 점 M의 x좌표와 같
다. 이때 점 M보다 점 B가 더
오른쪽에 있으므로 C와 E의 생
활비의 평균은 B의 생활비보다
작다.
따라서 옳은 것은 ㄴ, ㄹ이다.

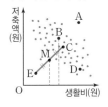

13 길잡이 체질량 지수가 18.5 이상 25 미만이면 '정상 체중'이고, 체질량
지수가 30 이상이면 '비만'이므로 조건에 맞게 보조선을 긋는다.

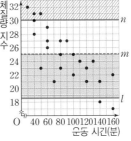

'정상 체중'에 해당하는 학생은 위의 그림에서 색칠한 부분
(직선 l 포함, 직선 m 제외)에 속하므로 10명이다.
이들의 운동 시간은 50분, 70분, 80분, 100분, 110분,
120분, 120분, 130분, 140분, 160분이므로
(운동 시간의 평균)

$= \dfrac{50 + 70 + 80 + 100 + 110 + 120 + 120 + 130 + 140 + 160}{10}$

$= 108$(분)

'비만'에 해당하는 학생은 위의 그림에서 빗금 친 부분(직선
n 포함)에 속하므로 4명이다.
이들의 운동 시간은 30분, 40분, 40분, 50분이므로

(운동 시간의 평균) $= \dfrac{30 + 40 + 40 + 50}{4} = 40$(분)

14 길잡이 먼저 두 번의 실기 평가 점수의 평균이 5점을 초과하는 학생들 중 점 A에 해당하는 학생을 제외한 나머지 학생들의 2차 점수의 평균을 구해 본다.

두 번의 실기 평가 점수의 평균이 5점을 초과하는 학생은 오른쪽 그림에서 색칠한 부분(경계선 제외)에 속하고, 이 중에서 점 A에 해당하는 학생을 제외한 9명의 2차 점수의 평균은

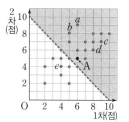

$$\frac{5+6+6+7+7+7+8+8+8}{9}$$

$$=\frac{62}{9}(점)$$

이때 2차 점수의 평균이 7점이 되기 위해 추가되어야 할 점수를 x점이라 하면

$$\frac{62+x}{10}=7 \qquad \therefore x=8$$

따라서 점 A의 2차 점수가 8점이어야 하므로 점 A는 b로 이동해야 한다.

15 길잡이 4개의 도시 A, B, C, D의 인구 밀도는 네 점 A, B, C, D와 원점 O를 각각 연결한 직선의 기울기를 의미함을 이용한다.

(인구 밀도)$=\dfrac{(도시의 인구수)}{(도시의 넓이)}$이

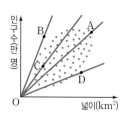

므로 4개의 도시 A, B, C, D의 인구 밀도는 네 점 A, B, C, D와 원점 O를 각각 연결한 직선의 기울기를 의미한다. 각 직선을 주어진 산점도 위에 그려 보면
오른쪽 그림과 같으므로 기울기가 작은 직선부터 차례로 나열하면
점 D를 지나는 직선, 점 A를 지나는 직선, 점 C를 지나는 직선, 점 B를 지나는 직선이다.
따라서 인구 밀도가 작은 것부터 차례로 나열하면 D, A, C, B이다.

P. 77 **내신 1% 뛰어넘기**

01 $\dfrac{200}{3}$ **02** B 그룹 **03** 6가지

01 길잡이 주어진 산점도에 세 조건 (개), (내), (대)에 해당하는 영역을 각각 표시한 후, 공통인 부분에 속하는 점을 찾는다.

주어진 조건을 모두 만족시키는 지원자는 오른쪽 그림에서 색칠한 부분(직선 l, n 포함, 직선 m 제외)에 속하므로 3명이다.
이들의 필기시험 점수는 60점, 70점, 80점이므로

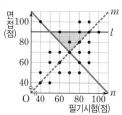

(필기시험 점수의 평균)$=\dfrac{60+70+80}{3}=70(점)$

$$\therefore (필기시험 점수의 분산)=\frac{(-10)^2+0^2+10^2}{3}=\frac{200}{3}$$

02 길잡이 분산이 작을수록 자료의 분포 상태가 고르므로 각 그룹에 속하는 학생들의 두 학기 국어 성적의 총점의 분산을 구해 본다.

A, B 두 그룹에 속하는 학생 수는 각각

$$25\times\frac{24}{100}=6(명)$$

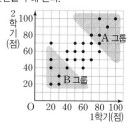

이때 A 그룹에 속하는 학생을 나타내는 점은
$(100, 100)$, $(90, 90)$,
$(80, 100)$, $(80, 80)$, $(80, 70)$, $(70, 80)$
이므로 이들의 두 학기 국어 성적의 총점의 평균은

$$\frac{200+180+180+160+150+150}{6}=170(점)$$

$$\therefore (분산)=\frac{30^2+10^2+10^2+(-10)^2+(-20)^2+(-20)^2}{6}$$

$$=\frac{2000}{6}=\frac{1000}{3}$$

B 그룹에 속하는 학생을 나타내는 점은
$(20, 20)$, $(30, 20)$, $(20, 40)$,
$(30, 30)$, $(20, 50)$, $(40, 40)$
이므로 이들의 두 학기 국어 성적의 총점의 평균은

$$\frac{40+50+60+60+70+80}{6}=60(점)$$

$$\therefore (분산)=\frac{(-20)^2+(-10)^2+0^2+0^2+10^2+20^2}{6}$$

$$=\frac{1000}{6}=\frac{500}{3}$$

따라서 B 그룹의 분산이 A 그룹의 분산보다 작으므로 두 학기 국어 성적의 총점의 분포 상태가 더 고른 그룹은 B 그룹이다.

03 길잡이 찢어진 부분에 있는 점의 개수를 파악한 후 읽기 점수와 듣기 점수를 각각 미지수로 놓고 주어진 조건에 알맞은 경우를 생각해 본다.

산점도에서 보이는 점의 개수가 18개이므로 찢어진 부분에 2개의 점이 있다.
이때 읽기 점수가 듣기 점수보다 높은 학생은 오른쪽 그림과 같이 오른쪽 위로 향하는 대각선을 그었을 때, 대각선보다 아래쪽에 있다.

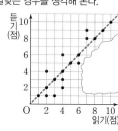

(i) 두 명의 읽기 점수를 각각 x점, y점$(x \le y)$이라 하면 읽기 점수가 듣기 점수보다 높은 학생들의 읽기 점수의 평균이 5점이므로

$$\frac{2+3+4+4+6+x+y}{7}=5 \qquad \therefore x+y=16$$

그런데 찢어진 부분의 읽기 점수가 7점 이상 10점 이하이므로 $x=7$, $y=9$ 또는 $x=8$, $y=8$

(ii) 두 명의 듣기 점수를 각각 a점, b점$(a \le b)$이라 하면 읽기 점수가 듣기 점수보다 높은 학생들의 듣기 점수의 평균이 3점이므로

$$\frac{1+1+2+3+5+a+b}{7}=3 \qquad \therefore a+b=9$$

그런데 찢어진 부분의 듣기 점수가 2점 이상 7점 이하이므로 $a=2$, $b=7$ 또는 $a=3$, $b=6$ 또는 $a=4$, $b=5$

따라서 (i), (ii)에 의해 찢어진 부분의 자료로 가능한 2개의 점은

① $(7, 2)$, $(9, 7)$　　② $\underline{(7, 7)}$, $(9, 2)$ ⇨ 부적합
③ $(7, 3)$, $(9, 6)$　　④ $\underline{(7, 6)}$, $(9, 3)$ ⇨ 부적합
⑤ $(7, 4)$, $(9, 5)$　　⑥ $(7, 5)$, $(9, 4)$
⑦ $(8, 2)$, $\underline{(8, 7)}$ ⇨ 부적합　⑧ $(8, 3)$, $(8, 6)$
⑨ $(8, 4)$, $(8, 5)$

이때 ②, ④, ⑦은 찢어진 부분에 속하지 않으므로 구하는 자료로 가능한 것은 모두 6가지이다.

P. 78~79 5~6 서술형 완성하기

[과정은 풀이 참조]

1 중앙값: 7, 최빈값: 8　　　**2** 13　　**3** $\sqrt{6}$개
4 $\sqrt{3}$　　**5** (1) 40 %　(2) 양의 상관관계　　**6** 44 %
7 12점, 6점　　　**8** 72.5점

---

1 평균이 5.3이므로

$$\frac{8+a+1+0+(-6)+b+8+(-3)+6+11}{10}=5.3$$

$a+b+25=53 \qquad \therefore a+b=28 \qquad \cdots \text{㉠}$

$3a=4b$에서 $a=\dfrac{4}{3}b$를 ㉠에 대입하면

$\dfrac{4}{3}b+b=28$, $7b=84 \qquad \therefore b=12$, $a=16 \qquad \cdots (\text{i})$

따라서 변량을 작은 값부터 크기순으로 나열하면

-6, -3, 0, 1, 6, 8, 8, 11, 12, 16

이므로 중앙값은 5번째와 6번째 변량의 평균인 $\dfrac{6+8}{2}=7$이다. $\qquad \cdots (\text{ii})$

또 8이 두 번으로 가장 많이 나타나므로 최빈값은 8이다. $\qquad \cdots (\text{iii})$

채점 기준	비율
(i) a, b의 값 구하기	40 %
(ii) 중앙값 구하기	30 %
(iii) 최빈값 구하기	30 %

2 자료 A의 중앙값이 11이므로 변량을 작은 값부터 크기순으로 나열할 때, $a+4$는 10과 15 사이에 있어야 하므로

$$\frac{10+(a+4)}{2}=11 \qquad \therefore a=8 \qquad \cdots (\text{i})$$

따라서 두 자료 A, B를 섞은 전체 자료에서 변량을 작은 값부터 크기순으로 나열하면

6, 8, 8, 9, 10, 12, 14, 15, 15, 16, 17, 19

이때 중앙값은 6번째와 7번째 변량의 평균이므로

(전체 자료의 중앙값)$=\dfrac{12+14}{2}=13 \qquad \cdots (\text{ii})$

채점 기준	비율
(i) a의 값 구하기	50 %
(ii) 전체 자료의 중앙값 구하기	50 %

3 첫날 7명이 안타를 친 개수를 각각 a_1, a_2, $\cdots$, a_7이라 하면 이들의 평균이 5개이므로

$$\frac{a_1+a_2+\cdots+a_7}{7}=5에서$$

$a_1+a_2+\cdots+a_7=35$

즉, 10명이 안타를 친 개수의 평균은

$$\frac{(a_1+a_2+\cdots+a_7)+2+8+5}{10}$$

$$=\frac{35+2+8+5}{10}=5(개) \qquad \cdots (\text{i})$$

첫날 7명이 안타를 친 개수의 분산이 6이므로

$$\frac{(a_1-5)^2+(a_2-5)^2+\cdots+(a_7-5)^2}{7}=6에서$$

$(a_1-5)^2+(a_2-5)^2+\cdots+(a_7-5)^2=42$

따라서 10명이 안타를 친 개수의 분산은

$$\frac{\{(a_1-5)^2+(a_2-5)^2+\cdots+(a_7-5)^2\}+(2-5)^2+(8-5)^2+(5-5)^2}{10}$$

$$=\frac{42+(-3)^2+3^2+0^2}{10}=6 \qquad \cdots (\text{ii})$$

이므로 (표준편차)$=\sqrt{6}$(개) $\qquad \cdots (\text{iii})$

채점 기준	비율
(i) 10명이 안타를 친 개수의 평균 구하기	40 %
(ii) 10명이 안타를 친 개수의 분산 구하기	40 %
(iii) 10명이 안타를 친 개수의 표준편차 구하기	20 %

4 한 모서리의 길이가 각각 a, b, c인 정육면체 모양의 세 주사위의 모든 모서리의 길이의 총합은 72이므로

$12(a+b+c)=72 \qquad \therefore a+b+c=6 \qquad \cdots (\text{i})$

겉넓이의 총합은 126이므로

$6(a^2+b^2+c^2)=126 \qquad \therefore a^2+b^2+c^2=21 \qquad \cdots (\text{ii})$

이때 모서리의 길이 a, b, c의 평균과 분산을 각각 구하면

(평균)$=\dfrac{a+b+c}{3}=\dfrac{6}{3}=2 \qquad \cdots (\text{iii})$

$$(\text{분산})=\frac{(a-2)^2+(b-2)^2+(c-2)^2}{3}$$
$$=\frac{a^2+b^2+c^2-4(a+b+c)+4\times3}{3}$$
$$=\frac{21-4\times6+12}{3}=\frac{9}{3}=3 \qquad \cdots \text{(iv)}$$
$$\therefore (\text{표준편차})=\sqrt{3} \qquad \cdots \text{(v)}$$

채점 기준	비율
(i) $a+b+c$의 값 구하기	10 %
(ii) $a^2+b^2+c^2$의 값 구하기	10 %
(iii) a, b, c의 평균 구하기	20 %
(iv) a, b, c의 분산 구하기	40 %
(v) a, b, c의 표준편차 구하기	20 %

5 (1) 심사위원 점수와 관객 점수의 합이 150점 이상인 참가자는 오른쪽 그림에서 색칠한 부분(경계선 포함)에 속하므로 8명이다. $\qquad \cdots \text{(i)}$

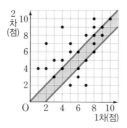

따라서 합격률은

$$\frac{8}{20}\times100=40(\%) \qquad \cdots \text{(ii)}$$

(2) 심사위원 점수가 높을수록 관객 점수도 대체로 높은 경향이 있으므로 심사위원 점수와 관객 점수 사이에는 양의 상관관계가 있다. $\qquad \cdots \text{(iii)}$

채점 기준	비율
(i) 심사위원 점수와 관객 점수의 합이 150점 이상인 참가자의 수 구하기	50 %
(ii) 합격률 구하기	30 %
(iii) 심사위원 점수와 관객 점수 사이의 상관관계 말하기	20 %

6 $0\le a-b\le2$를 만족시키는 학생은 오른쪽 그림에서 색칠한 부분(경계선 포함)에 속하므로 11명이다. $\qquad \cdots \text{(i)}$
$$\therefore \frac{11}{25}\times100=44(\%) \qquad \cdots \text{(ii)}$$

채점 기준	비율
(i) 조건을 만족시키는 학생 수 구하기	60 %
(ii) 조건을 만족시키는 학생은 전체의 몇 %인지 구하기	40 %

7 3회, 4회의 점수를 각각 a점, b점 $(a>b)$이라 하면
$$(\text{평균})=\frac{7+10+a+b+9+10}{6}=9(\text{점})\text{이므로}$$
$a+b=18$에서 $b=18-a \qquad \cdots \text{㉠} \qquad \cdots \text{(i)}$
각 변량의 편차를 차례로 구하면
-2점, 1점, $(a-9)$점, $(9-a)$점, 0점, 1점

표준편차가 2점, 즉 분산이 4이므로
$$(\text{분산})=\frac{(-2)^2+1^2+(a-9)^2+(9-a)^2+0^2+1^2}{6}$$
$$=\frac{2(a-9)^2+6}{6}=4 \qquad \cdots \text{(ii)}$$
$2(a-9)^2+6=24$, $2(a^2-18a+81)-18=0$
$a^2-18a-72=0$, $(a-6)(a-12)=0$
$\therefore a=6$ 또는 $a=12$
㉠에서 $b=12$ 또는 $b=6$
이때 $a>b$이므로 $a=12$, $b=6$
따라서 3회, 4회의 점수는 차례로 12점, 6점이다. $\qquad \cdots \text{(iii)}$

채점 기준	비율
(i) 3회, 4회의 점수 사이의 관계식 구하기	20 %
(ii) 분산을 이용하여 방정식 세우기	40 %
(iii) 3회, 4회의 점수 구하기	40 %

8 두 과목의 총점이 상위 5등인 학생은 수학 성적이 80점, 영어 성적이 80점인 학생이다. $\qquad \cdots \text{(i)}$

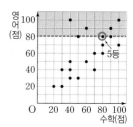

이 학생보다 영어 성적이 높은 학생을 나타내는 점은
$(40, 100)$, $(60, 90)$, $(90, 90)$, $(100, 100)$ $\qquad \cdots \text{(ii)}$
이므로 이들의 수학 성적의 평균은
$$\frac{40+60+90+100}{4}=\frac{290}{4}=72.5(\text{점}) \qquad \cdots \text{(iii)}$$

채점 기준	비율
(i) 상위 5등인 학생의 성적 구하기	40 %
(ii) 상위 5등인 학생보다 영어 성적이 높은 학생을 나타내는 점 찾기	30 %
(iii) 수학 성적의 평균 구하기	30 %

+ 개념·플러스·유형·시리즈 개념과 유형이 하나로! 가장 효과적인 수학 공부 방법을 제시합니다.

대표전화 1544-0554
주소 서울특별시 구로구 디지털로33길 48 대룡포스트타워 7차 20층
협의 없는 무단 복제는 법으로 금지되어 있습니다.